Alle einsteigen!

Schülerbuch 1

Keith Saunders   Mike Simpson   Wolfgang Winter

Hodder & Stoughton
LONDON SYDNEY AUCKLAND TORONTO

Acknowledgements

The authors would particularly like to acknowledge the help given in the writing of *Alle einsteigen!* by the following people, who have freely given of their advice and ideas for use in the course: Lucy Bauer, Hartmut Bauer, Hartmut Bock, Wendy Bromidge, James Burch, Lesley Davies, Jonathan Day, Beverley Hewer, Linda Hinchliffe, Sara Kelby, Iris Klinke, Elaine Lawrence, Britta Liebing, Harald Lipka, Judith Lovely, Jörn Marschall, Hugh Normanton, Gill Rees, Sonja Samsöe, Christopher Saunders, Gill Saunders, Dagmar Schulz, Florence Simpson, Joanne Simpson and Irene Winter.

We would also like to thank Chris Gilbert, who took all the photographs for *Alle einsteigen!*, except for those mentioned below; the headmaster, staff and pupils of the Andreae-Gymnasium, Herrenberg, as well as many of the inhabitants of the town and its surrounding region for their help; and the German School in Richmond for the recording of the cassette.

Particular thanks are due to Irene Winter and Jörn Marschall for their tireless chasing after material and their work on the tape recordings; to Monika and Jörn Marschall for their patience and use of their home; to Julia Marschall and Max Winck, Steffen Brodbeck, Elena Buchter, Susanne Krell, Boris Tschertsche, Andreas Wagner, Manuela Weber and their families; and to Marieke O'Connor for all her hard work and enthusiasm.

The publishers would like to thank the following for their permission to use copyright material: Ameropa Reise GmbH for the extracts on p. 195; Bravo for Treffpunkt-Bravo on p. 54; Kurverhaltung Bad Soden am Taunus GmbH for the advertisement on p. 222 ; Börner GmbH for the advertisement on p. 223; HarperCollins Publishers for the extract from Collins German Dictionary, 2nd edition, 1991. ISBN 0 00 433553 8, on p. 254; ConPart Verlag GmbH & Co. Zeitschriften KG, Berlin for the cartoon on p. 177 © Turner Entertainment Co.;Deutsche Angestellten-Krankenkasse for their recipes on pp. 202, 203 & 204; Deutsche Bundesbank for the banknotes on p. 71; Deutsche Bundespost Postdienst for the extracts on pp. 113 &115; and the Generaldienst for the photo on p. 111; Deutsche Lufthansa Aktiengesellschaft for the extract on p. 86; Dr Ritter GmbH for the advertisement on p. 222; Econ Verlagsgruppe for the extract on p. 220;Ehapa-Verlag for the cartoon on p. 179; Esbella-Grosslager GmbH & Co for the advertisement on p. 209; Juma, das Jugendmagazin for the reproduction on p. 86;Frankfurter-Societäts-Druckerei GmbH for the reproduction on p. 233;Freizeit Revue for the Vitamin Hitliste on p. 224; GranoVita for the advertisement Ginseng on p. 222; Hamburg-Information GmbH for the map on p. 143; Hamburger Morgenpost for the weather map on p. 47; Haus Rabenhorst for the advertisement of Eisenblut on p. 222; Herrenberg Stadtverwaltung for the maps (town and area), pp. 29 & 122 the Vereine extract on p. 64, material on pp. 158 & 159 and the photo of Pfingsten p. 160; Kölner Stadt-Anzeiger for the weather map on p. 48; Krone for advertisement on p. 221; Munich Tourist Office for map of underground on p. 124; Neckarland-Schwaben Touristikverband, Lohtorstr. 21, 7100; Heilbronn, T. 07131/629061. for the photo on p. 197 (top right); Norddeutscher Rundfunk for the photo on p. 16; Osiandersche Buchhandlung for the time-table on p. 96 Postdienstleistung, Österreich p. 68; Ratio Handel GmbH for the advertisements on pp. 173 & 174; Salus-Haus for the advertisements Multi-Vitamin Venen-Tonikum and Schlankheits-Tee on p. 223; Sammler-Service for the picture of Sondermarken on p. 111; Schwaben Bräu for the cover of the museum brochure on p. 170; Sonnenbühl-Höhlenerlebnisse for the cover of their brochure on p. 197; Staatliche Toto-Lotto Gmbh for lottery ticket on p. 70; Staedtler Mars GmbH for time-table on p. 94; Stadtmessungsamt Stuttgart for the map on p.168; Stuttgart Tourist Office forthe photos on pp. 16 & 148 (bottom left); Süddeutsche Zeitung for the article Service Auftrag on p. 124; Süddeutscher Rundfunk Stuttgart for the logo and photo on p. 42; Südwest Presse Ulm and Globus-Kartendienst for the extract on p. 227; Südwest Presse, Schwäbisches Tagblatt for the weather maps on p. 49 and the calendar on p. 108; Tesslof Verlag for the time-table on p. 95; Tübinger Bäder for the photos of a swimming pool on pp. 142, 148 & 151; Jan Tomaschoff for the cartoon on p. 117; Westermann Schulbuch-Verlag for the map on p. 28; Wilhelma Zoologisch-Botanischen Garten, Stuttgart for the logo on p. 35 and ZDF, Mainz for the pictures used on pp. 84 & 85.

The authors and publishers would like to thank the following for permission to reproduce their photographs: Austrian National Tourist Office p. 242 (bottom left); Berlin Verkehrsamt p. 37 (no.3); Bettman p. 56 (nos. B,C,E); Bildagentur Schuster GmbH pp. 16 (top left), 170 (bottom left); Bochum Verkehrsamt p. 41 (top right); Bonn Verkehrsamt p. 37 (no.1), 170 (bottom right); Breisgau Tourist Office p.39 (bottom right); Bremerhaven Verkehrsamt pp. 39 (centre), 144 (centre left), 41 (bottom right); Britta & Stephen Liebing pp. 234 (bottom left), 235 (centre right, centre left, top right, bottom right, bottom left); Cephas Picture Library p. 16 (top right); Düsseldorf Verkehrsamt pp. 37 (no.9), 39 (centre right), 41 (centre right); EMIRecords Ltd p. 56 (no.A); Fotex pp. 198 (bottom left, bottom centre, bottom right), 199 (top left); Frankfurt Verkehrsamt p. 37 (no.2); Freiburg Verkehrsamt pp. 37 (no.7), 144 (centre right); Hamburg Verkehrsamt p.37 (no.8); Hannover Verkehrsamt p. 37 (no.6); Herrenberg Stadtverwaltung pp. 160 (no.1), 161 (no. 5); Hulton Deutsch Collection Ltd p.56 (no.D); Irene Winter pp. 12 (centre), 40 (top right), 76 (all three pictures at top), 81 (centre), 112 (top right), 122 (bottom left & bottom right), 123 (centre & centre left), 125 (top left), 140 (top right), 141 (top right, picture of bank on left & picture of chemist's), 150 (picture of bank), 151 (top left), 237 (bottom left); J. Allan Cash Ltd pp. 35 (top left), 39 (bottom left), 89 (bottom left), 140 (bottom left), 150 (picture of hospital), 145 (nos. 1-4), 242 (bottom centre); Japan National Tourist Office p. 242 (bottom right); Jörn Marschall pp. 9 (centre left), 29 (top left), 42 (3rd & 4th from the top & bottom three), 150 (centre left), 235 (top left), 243 (centre, bottom left, top left & centre left); Kassel Verkehrsamt p.41 (bottom left); Keith Saunders pp. 12 (centre), 197 (pictures of barbecue & Lichtenstein) Marieke O'Connor pp. 103 (bottom left), 107 (centre), 125 (no.2); Mike Simpson pp. 42 (2nd from top), p. 236 (nos. 1-10); 243 (bottom right, centre left & bottom centre); München Verkehrsamt p. 37 (no.10); Oliver Gadsby pp. 27 (bottom left), 130 (bottom left), 39 (top left), 41 (bottom centre), 89 (top left), 94 (top left & top right), 141 (pictures of school & cake shop) , 143 (bottom left), 151 (no.6), 155 (pictures of telephone box and railway station), 207 (centre); Regensburg Verkehrsamt pp. 39 (centre left), 144 (bottom right); Rothenburg Verkehrsamt p.144 (bottom right); Spanish National Tourist Office p. 242 (top left); Stief Pictures pp. 160(no. 2), 161 (no. 6); Stuttgart Verkehrsamt pp. 40 (bottom centre), 161 (bottom right), 170 (no. 4); Topham pp. 9 (centre right), 16 (centre), 199 (top centre); Willy Pragher p. 147 (left); Wolfgang Winter pp. 42 (5th from top), 43 (bottom left); Würzburg Verkehrsamt p. 41 (centre).

Cover illustration: Angela Dundee

The authors and publishers have made every possible effort to trace all copyright holders. In the few cases where copyright holders could not be traced, due acknowledgement will be given in future reprintings if copyright holders make themselves known to the publishers.

British Library Cataloguing-in-Publication Data

Saunders, Keith
    Alle einsteigen!: Schülerbuch 1.
    I.Title II. Simpson, Mike
    III. Winter, Wolfgang
    438
    ISBN 0-340-55728-1

First published 1992
© 1992 Keith Saunders, Mike Simpson, Wolfgang Winter
    and Gill Saunders.

Typeset by Wearset, Boldon, Tyne and Wear.
Printed in Great Britain for the education publishing division of Hodder & Stoughton Ltd, Mill Road, Dunton Green, Sevenoaks, Kent by Scotprint Ltd, Musselburgh, Scotland.

Inhalt

Introduction

To the student

You are just starting German for the first time – and it will probably be a challenge, although an exciting one. We hope you will enjoy using *Alle einsteigen!* to help you learn German, but before you start we would like to give you a few suggestions and hints to help you get the most out of the course.

- In class, try to speak German at all times! Obviously this will be difficult at first, but you'll soon find that, if you really try, you will be able to make up sentences of your own. But you need to make the effort! You will also have to overcome a certain shyness which all language learners feel when they are just starting. Don't be afraid – *everybody* makes mistakes!
- Use the vocabulary section at the back of this book to look up words you don't know or can't remember. If you can't find them there, use a bigger dictionary. At the start of the vocabulary section, there are a few hints on how to use a dictionary properly.
- Use *Selbst tanken* for homework. There is a Student's Cassette available for this so that you can do your own listening practice at home.

Hilfe! (Help!)

You will find that all instructions to you in the main part of this book are in German. We feel this is important – after all, you must get used to dealing with written German in which you don't perhaps understand every single word. The important thing is to get the 'gist' (or general idea) of what you are expected to do: if you know what to do in each activity (and your teacher will, of course, explain it to you as well) then you have understood enough to carry on, even if you don't understand every single word. The main thing is: DON'T PANIC!

There are a few instructions which you will see regularly in the exercises. We have made a list of the most common ones here to help you – turn back to this page for help if you get stuck.

- Hör gut zu. *Listen carefully.*
- Arbeite mit einem Partner zusammen. *Work with a partner.*
- Arbeite in einer Gruppe. *Work in a group.*
- Frag deinen Partner. *Ask your partner.*
- Füll diese Tabelle aus. *Fill in this table.*
- Kannst du . . . ordnen? *Can you sort out . . . ?*
- Zusammenfassung *Conclusion.*
- Was habe ich gelernt? *What have I learned?*
- Richtig. *True.*
- Falsch. *False.*

- Ich kann ... sagen.   *I can say ...*
- Ich kann das ...   *I can do it ...*
  prima.   *very well.*
  gut.   *well.*
  nicht sehr gut.   *not too well.*
- Mach einen Haken.   *Put a tick.*
- Mach ein Kreuz.   *Put a cross.*
- Wenn du fertig   *When you are ready ...*
  bist ...
- Versuch's noch   *Try it again ...*
  einmal ...
- usw.   *etc.*
- z.B. (zum Beispiel)   *e.g. (for example)*

There may be times when you don't understand something in class or in the book and you need to ask your teacher what it means. Do it in German! Here are some useful phrases:

- Ich verstehe nicht!
  I don't understand!

- Wie bitte?
  Pardon?

- Entschuldigung!
  Excuse me!

- Nochmal bitte!
  Again, please!

- Wie sagt man ... auf   *How do you say ... in*
  deutsch?   *German?*
- Wie sagt man ... auf   *How do you say ... in*
  englisch?   *English?*
- Ich habe meinen/   *I've forgotten my ...*
  meine/mein ...
  vergessen.
- Entschuldigung, daß   *Sorry I'm late!*
  ich zu spät komme!

- Ich habe meinen/   *I've lost my ...*
  meine/mein ...
  verloren.

Symbole

 Hören

 Partnerarbeit

 Gruppenarbeit

 Information

 Schreiben

1 Das sind wir!

A Hallo! Wie geht's?

Guten Morgen!

Grüß Gott!

Guten Abend, Kemal!

Servus, Anja!

Auf Wiedersehen!

Hallo!

Tschüs!

Grüß dich, Max!

Guten Tag, Ulrich!

Ciao! Bis dann!

Bis später!

Ade!

Guten Tag, wie geht's?

a^1 Was sagen diese Leute?

Kannst du dein eigenes Foto für ,Prima!', ,Sehr gut!' usw. finden? Du könntest auch lustige Bilder zeichnen.

a_2 Hör gut zu! Wie geht es diesen Leuten?
Jedesmal, wenn du zum Beispiel ‚Prima‘ hörst,
mach einen Haken!

Prima!	
Sehr gut!	
Gut, danke!	
Es geht so!	
Nicht schlecht!	
Schlecht!	
Furchtbar!	

B Das Alphabet

Aa Bb Cc Dd Ee Ff Gg Hh
Ii Jj Kk Ll Mm Nn Oo Pp
Qq Rr Ss Tt Uu Vv Ww Xx
Yy Zz Ää Öö Üü ß

b_1 Hör gut zu! Welche Wörter werden hier
diktiert? Schreib die Wörter auf.

1 PR _ _ _   6 _ _ _ _ _ _ _ _ _ _

2 S _ _ _ _ _ _ _   7 _ _ _ _ _ _

3 _ _ _ _ _ _ _   8 _ _ _ _

4 _ _ _ _ _ _ _ ’ _   9 _ _ _ _ _

5 _ _ _ _ _ _   10 _ _ _ _ _ _ _ _ _

C Wie heißt du? Wie schreibt man das?

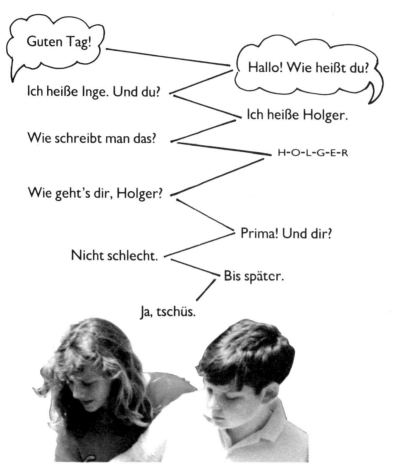

Guten Tag!

Hallo! Wie heißt du?

Ich heiße Inge. Und du?

Ich heiße Holger.

Wie schreibt man das?

H-O-L-G-E-R

Wie geht's dir, Holger?

Prima! Und dir?

Nicht schlecht.

Bis später.

Ja, tschüs.

*C*1 Hier ist ein Dialog zwischen Anja und Rolf. Aber alles ist durcheinander! Furchtbar! Was sagt Anja, was sagt Rolf?

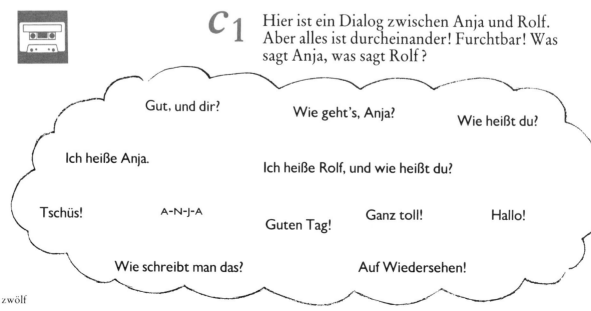

Gut, und dir?   Wie geht's, Anja?   Wie heißt du?

Ich heiße Anja.   Ich heiße Rolf, und wie heißt du?

Tschüs!   A-N-J-A   Guten Tag!   Ganz toll!   Hallo!

Wie schreibt man das?   Auf Wiedersehen!

C2 Hör gut zu! Wie heißen diese jungen Leute, und wie schreibt man die Namen?

1

2

3

4

5

C3 Spiel! In zwei Gruppen: Jede Gruppe bekommt die Buchstaben und muß dann die Wörter bilden, die ihr hört.

C 4   Der Klassenlehrer der Klasse 6d, Herr Marnet,
schreibt die Klassenliste. Er ist nicht fertig.
Kannst du ihm helfen? Wie heißen die Schüler?
Schreib die Namen auf, die du hörst!

```
Andreae-Gymnasium Herrenberg              Klasse 6d
********************************          ----------
                 Klassenlehrer Marnet

                                      |__|__|__|__|__|__|__|__|__|__|__|__|__|__|__|__
 1 Baumann Ines..............|__|__|__|__|__|__|__|__|__|__|__|__|w  F
 2 Baur Melanie..............|__|__|__|__|__|__|__|__|__|__|__|__|w
 3 Becker Katja..............|__|__|__|__|__|__|__|__|__|__|__|__|w  F
 4 Beckermann Manuel.........|__|__|__|__|__|__|__|__|__|__|__|__|m
 5 David Milene Jeanne.......|__|__|__|__|__|__|__|__|__|__|__|__|w  F
 6 Fauss Kim.................|__|__|__|__|__|__|__|__|__|__|__|__|m  F
 7 Grgic Tatjana.............|__|__|__|__|__|__|__|__|__|__|__|__|w
 8 Heger Petra Tina..........|__|__|__|__|__|__|__|__|__|__|__|__|w
 9 Kehl Sven.................|__|__|__|__|__|__|__|__|__|__|__|__|m  F
10 Kent Steven James.........|__|__|__|__|__|__|__|__|__|__|__|__|m  F
11 ..........................|__|__|__|__|__|__|__|__|__|__|__|__|m  F
12 ..........................|__|__|__|__|__|__|__|__|__|__|__|__|m
13 ..........................|__|__|__|__|__|__|__|__|__|__|__|__|m
14 ..........................|__|__|__|__|__|__|__|__|__|__|__|__|w
15 ..........................|__|__|__|__|__|__|__|__|__|__|__|__|m
16 ..........................|__|__|__|__|__|__|__|__|__|__|__|__|m
17 ..........................|__|__|__|__|__|__|__|__|__|__|__|__|m  F
18 ..........................|__|__|__|__|__|__|__|__|__|__|__|__|m
19 ..........................|__|__|__|__|__|__|__|__|__|__|__|__|F
20 ..........................|__|__|__|__|__|__|__|__|__|__|__|__|m  F
```

D Die Zahlen

1 – eins	6 – sechs	11 – elf	16 – sechzehn
2 – zwei	7 – sieben	12 – zwölf	17 – siebzehn
3 – drei	8 – acht	13 – dreizehn	18 – achtzehn
4 – vier	9 – neun	14 – vierzehn	19 – neunzehn
5 – fünf	10 – zehn	15 – fünfzehn	20 – zwanzig

d_1

Hör gut zu! Hier sind fünf Lottokarten. Welche Lottokarte gewinnt jedes Spiel?

A
3	5
16	9

B
12	14
13	4

C
8	19
3	7

D
20	7
13	9

E
5	15
12	9

d_2

Hör gut zu und sieh dir diese Fotos an. Welche Autos sucht die Polizei?

A

B

C

D

E

F

d₃ Hör gut zu – welche Zahlen hörst du?

B A₃   A₆   A₂

A 1–0   4–3   3–1

C 3–0
      3–1
      2–1

D 19.00   17.00   13.00

E 15 DM   14 DM   12 DM

Pünktlich:
Auf die Sekunde

E Wie alt bist du?

Im Park

Guten Tag!

Hallo!

Wie heißt du?

Ich heiße Dieter.
Und du?

Ich heiße
Jasmin.
Wie alt bist du,
Dieter?

Ich bin
dreizehn.
Und du?

Ich bin auch
dreizehn!

*e*1 Diese vier Jungen und Mädchen treffen sich in der Schule. Sie fragen: Wie heißt du? Wie alt bist du?

Ich heiße Dirk.
Ich bin . . .

Ich bin . . . , und
Thorsten ist mein
Name.

Ich heiße Inge.
Ich bin . . .
Wie alt bist du?

Ich bin . . . , und mein
Name ist Martina.

e2   Hör gut zu. Jetzt stellen sich mehrere Leute vor.
Welcher Name paßt zu welchem Alter?
Verbinde jeden *Namen* mit einer *Nummer*.

Jens

Inge   Anna

Nils

Petra

Udo

Jasmin   Jutta

18   14   17   19

16

12   15   11

F Wir stellen uns vor!

In diesem Buch könnt ihr die Klasse 7a aus
Herrenberg in Süddeutschland kennenlernen.
Hier ist ein Foto von den Schülern.

Hier sind die sechs Schüler der Klasse 7a:

Hartmut

Sonja

Florian

Tanja

Oliver

Sabine

*f*1   Hör gut zu! Du bekommst eine Kassette von der Schule in Herrenberg. Die Schüler der Klasse 7a sagen, wie sie heißen, wie alt sie sind und wie es ihnen geht. Füll diese Tabelle aus.

	Begrüßung	Name	Alter	Wie es ihnen geht
1				
2				
3				
4				
5				
6				

Kennst du jetzt die Klasse 7a? Schreib etwas über jeden Schüler/jede Schülerin, der/die sich vorgestellt hat, zum Beispiel:

1 Er heißt Oliver. Er ist zwölf Jahre alt usw. . .

  Jetzt bist du dran! Du bist einer der jungen Leute auf Seite 18, dein(e) Partner(in) ist einer der anderen. Du mußt ihn/sie:

a begrüßen (Guten Tag/Tag/Servus usw.);
b fragen, wie er/sie heißt;
c fragen, wie alt er/sie ist;
d fragen, wie es ihm/ihr geht.

Jetzt stellt der Partner (die Partnerin) die Fragen.

Zusammenfassung   *Was habe ich gelernt?*

Wenn du fertig bist, mach einen Haken! Wenn du nicht fertig bist, versuch's noch einmal.

	Prima	Gut	Nicht sehr gut	Seite
Ich kann fragen:				
1 Wie heißt du?				12
2 Wie schreibt man das?				11
3 Wie geht's? Und dir?				10
4 Wie alt bist du?				14
Ich kann sagen:				
5 Ich heiße ... + Name				12
6 Ich bin ... + 13/14 usw.				14
7 Hallo/Guten Tag usw.				9
8 Es geht mir prima/sehr gut usw.				10
Ich kenne:				
9 Das Alphabet				11
10 Die Zahlen 1–20				14

2 Kennenlernen

A Meine Familie

Hast du Geschwister?

Ja, ich habe einen Bruder und eine Schwester. Und du?

Ich? Ja, ich habe zwei Schwestern.

Ich habe zwei Brüder.

Ich habe eine Schwester.

Ich habe keine Geschwister. Ich bin Einzelkind.

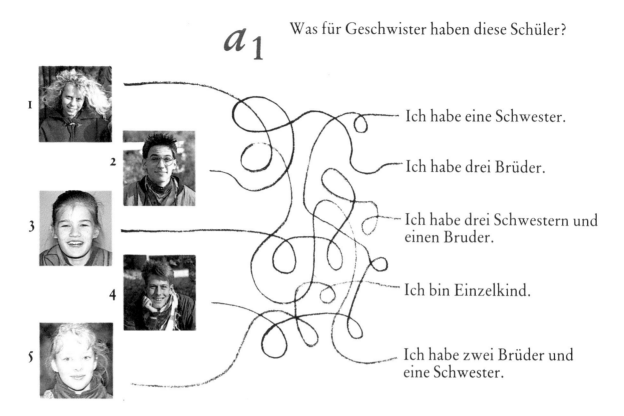

a_1 Was für Geschwister haben diese Schüler?

Ich habe eine Schwester.

Ich habe drei Brüder.

Ich habe drei Schwestern und einen Bruder.

Ich bin Einzelkind.

Ich habe zwei Brüder und eine Schwester.

a_2 Hör gut zu! Wie viele Geschwister haben die Schüler der 7a?

Name	Brüder	Schwestern
1 Hartmut		
2 Sonja		
3 Florian		
4 Andrea		
5 Oliver		
6 Sabine		

a_3 Sind die folgenden Sätze falsch (x) oder richtig (√)?

1 Hartmut hat eine Schwester.
2 Andrea hat einen Bruder.
3 Oliver hat eine Schwester.
4 Sonja hat zwei Schwestern.
5 Sabine ist Einzelkind.

a 4 Frag deinen Partner/deine Partnerin, ob er/sie Geschwister hat. . . . Dann kannst du deine ganze Klasse fragen!

Hast du Geschwister?	Ja . . . ich habe	einen Bruder eine Schwester zwei Brüder zwei Schwestern
	Nein . . .	ich habe keine Geschwister ich bin Einzelkind

B Und wie alt sind deine Geschwister?

Hast du Geschwister?

Ja, ich habe einen Bruder und eine Schwester.

Wie heißt dein Bruder?

Er heißt Hans-Peter.

Und deine Schwester – wie heißt sie?

Sie heißt Petra.

Wie alt sind deine Geschwister?

Hans-Peter ist neun,

und Petra ist zwölf.

b_1 Hör gut zu! Was für Geschwister haben diese Leute? Wie heißen sie, und wie alt sind sie?

Name	Brüder (Namen/Alter)	Schwestern (Namen/Alter)
1 Udo 2 Ingrid 3 Werner 4 Philipp		

b_2 Geheimcode!

Der Geheimcode

A = achtzehn
Ä = neunundzwanzig
B = drei
C = fünfzehn
D = zweiundzwanzig
E = acht
F = eins
G = dreizehn
H = vier
I = siebzehn
J = zwei
K = zehn
L = dreiundzwanzig
M = sieben
N = vierzehn

O = sechsundzwanzig
Ö = dreißig
P = neun
Q = zwölf
R = fünf
S = vierundzwanzig
T = neunzehn
U = zwanzig
Ü = siebenundzwanzig
V = sechs
W = elf
X = einundzwanzig
Y = fünfundzwanzig
Z = sechzehn
ß = achtundzwanzig

Benutze den Geheimcode auf Seite 24! Du kannst dann sehen, was für Geschwister die Schüler haben.

1 Hallo!
Ich heiße 9.8.19.5.18.
Ich bin 14.8.20.14.
Ich habe 8.17.14.8.14. 3.5.20.22.8.5.

2 Grüß dich!
Ich heiße 26.23.18.1.
Ich bin 8.23.1.
Ich habe 6.17.8.5. 24.15.4.11.8.24.19.8.5.14.

3 Hallo!
Ich heiße 20.22.26.
Ich bin 22.5.8.17.16.8.4.14.
Ich habe 10.8.17.14.8. 13.8.24.15.4.11.17.24.
 19.8.5.

4 Guten Tag!
Ich heiße Manuela.
Ich bin vierzehn.
Ich habe 8.17.14.8. 24.15.4.11.8.24.19.8.5.
Sie heißt 13.18.3.5.17.8.23.18.
Sie ist 16.11.8.17.20.14.22.
 16.11.18.14.16.17.13.

5 Guten Tag!
Ich heiße Branka.
Ich bin fünfzehn.
Ich habe 8.17.14. 8.14.3.5.20.22.8.5. 20.14.22.
 8.17.14.8. 24.15.4.11.8.24.19.8.5.
Sie heißen 3.26.2.18.14. 20.14.22.
 7.18.5.13.17.19.19.18.
Sie sind 24.17.8.3.16.8.4.14. 20.14.22.
 8.17.14.20.14.22.16.11.18. 14.16.17.13.

6 Grüß Gott!
Ich heiße 19.4.26.5.24.19.8.14.
Ich bin 22.5.8.17.16.8.4.14.
Ich habe 22.5.8.17. 3.5.27.22.8.5.
Sie heißen 18.21.8.23.,3.8.5.14.22. 20.14.22.
 7.18.5.10.
Sie sind 14.8.20.14.16.8.4.14.,24.8
 15.4.16.8.4.14. 20.14.22. 14.8.20.14.

*b*₃ Hast du Geschwister?

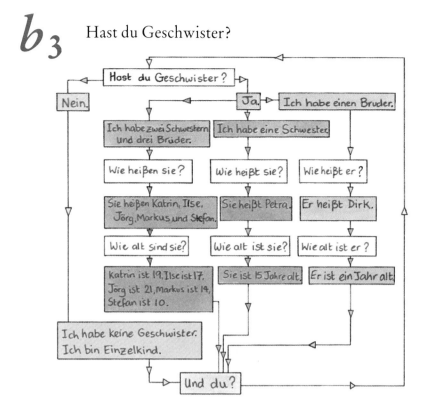

Hast du Geschwister?	
Ich bin . . .	Ich heiße . . .
Du bist . . .	Du heißt . . .
Mein Bruder ist . . .	Mein Bruder heißt . . .
Er ist . . .	Er heißt . . .
Meine Schwester ist . . .	Meine Schwester heißt . . .
Sie ist . . .	Sie heißt . . .
Meine Geschwister sind . . . und . . .	Meine Geschwister heißen . . . und . . .
Sie sind . . . und . . .	Sie heißen . . . und . . .

C Darf ich meine Familie vorstellen?

Ich bin Sonja,
und hier ist meine Familie.

Also, hier ist mein Vater.
Er heißt Andreas.

Das ist mein Bruder Sebastian,
und das ist meine Schwester Ilse.

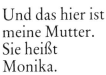

Und das hier ist
meine Mutter.
Sie heißt
Monika.

*c*1

Hör gut zu. Zwei Freunde der 7a beschreiben
ihre Familien. Wer ist aber wer auf dem Foto?

Die Familie Speth.
Ich heiße . . .
Mein Vater heißt . . .
Meine Mutter heißt . . .
Meine Schwester heißt . . .

Die Familie Kersken.
Ich heiße . . .
Meine Mutter heißt . . .
Mein Vater heißt . . .
Meine Brüder heißen . . .

Finde die richtigen Namen: Klaus, Manfred,
Marion, Christa, Ralf, Sebastian, Martin, Stefan,
Verena, Ingrid, Jürgen, Oliver, Elena, Florian,
Kurt, Andrea, Karin.

*c*2

Hast du ein Foto von deiner Familie? Kleb das
Foto in dein Deutschheft ein und beschreib es.

D Ich wohne in Herrenberg

Bundesrepublik Deutschland – politisch

Niedersächsische Landeszentrale
für politische Bildung

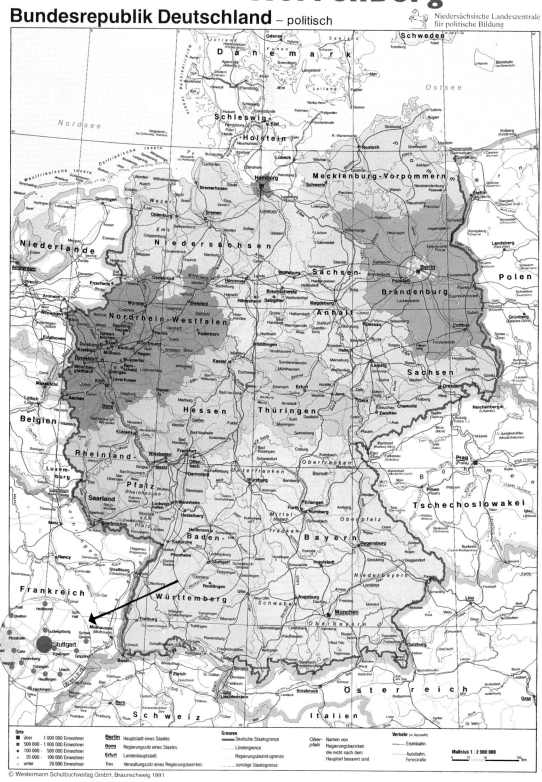

© Westermann Schulbuchverlag GmbH, Braunschweig 1991

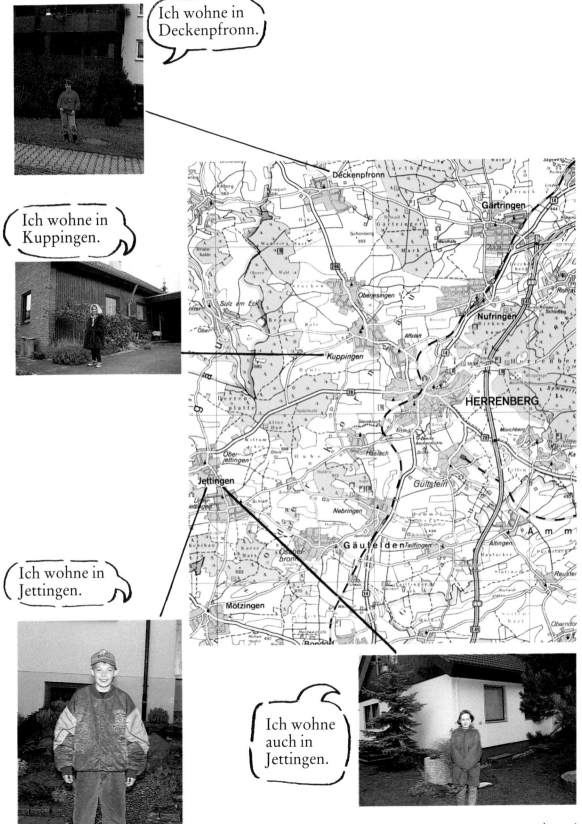

Ich wohne in Deckenpfronn.

Ich wohne in Kuppingen.

Ich wohne in Jettingen.

Ich wohne auch in Jettingen.

d_1 Hör gut zu. Die Schüler aus Herrenberg sagen, wo sie wohnen. Wer wohnt wo, und welche Hausnummer haben sie?

Zum Beispiel:
1 Hallo. Hier ist *Florian.* Ich wohne in *Jettingen* in der *Goethestraße 13.*
2 Hallo. Hier ist ...... Ich wohne in ...... in der ....

Name	Stadt	Straße	Hausnummer
Florian		Marktplatz	12
Oliver		Falkenweg	13
Hartmut	Jettingen	Höflestraße	2
Sonja	Deckenpfronn	Widdersteinstraße	36
Andrea	Kuppingen	Fasanenstraße	21
Tanja		Goethestraße	17
Sabine		In der Breite	19

d_2 Hör gut zu! Silkes Vater muß die Freunde von einer Party abholen. Er fragt sie alle, wo sie wohnen. Welche Hausnummer haben sie?

Füll die Lücken aus!

Silke und ihre Familie wohnen in .... Anna wohnt in .... Bahnhofstraße ... Jürgen wohnt in .... Albstraße ...., und Dieter wohnt in .... Die Adresse ist An der Wiese ....

d₃ Wer wohnt wo?

Thielstr. 16
7312 Jesingen

Silke

Goethestr. 13
7074 Jettingen

Widdersteinstr. 21
7033 Herrenberg – Kuppingen

Jürgen

Dieter

An der Wiese 9
7400 Unterjesingen

Florian

Oliver

Im der Breite 36
7047 Jettingen

Albstr. 3
7400 Unterjesingen

Sabine

Welche Adresse gehört zu welcher Person?
Zum Beispiel: Silke Meyer wohnt in Jesingen,
Thielstraße 16.

d_4

Frag jetzt einen Partner, wo er/sie wohnt.

Wie heißt du?	Ich heiße ..... . Und du?
Wie alt bist du?	Ich bin ..... . Und du?
Wo wohnst du?	Ich wohne in ..... . Und du?
Wie ist deine Adresse?	

d_5

Wie heißt dein Partner?	Er heißt ...
Wie heißt deine Partnerin?	Sie heißt ...
Wie alt ist er?	Er ist ...
Wie alt ist sie?	Sie ist ...
Wo wohnt er?	Er wohnt in ...
Wo wohnt sie?	Sie wohnt in ...

E Ich wohne in der Tierhandlung

e_1

Hallo! Ich heiße Hannelore – ich bin ein Hamster. Ich wohne mit meiner Familie in der Tierhandlung in der Schillerstraße. Es geht uns sehr gut. Hier ist meine Familie:

Hannelore

Heino (mein Bruder)

Henni (meine Mutter)

Heike (meine Schwester)

Helga (meine Schwester)

Hans (mein Vater)

Heiko und Hartmut (meine Brüder)

Wir haben viele Freunde hier in der Tierhandlung. Darf ich unsere Freunde vorstellen:

Hier ist Hugo. Er ist ein Hund.

Willi ist ein Wellensittich,

Guten Tag!

Hallo!

und Fritz ist ein Fisch.

Servus!

Tag! Tag! Tag!

Petra ist ein Papagei,

Es freut mich!

Kirstin ist eine Katze,

Hallo!

und Wüssi ist eine Wüstenspringmaus.

Grüß dich!

Minni ist eine Maus,

Servussssss...

Sid ist eine Schlange,

Guten Tag!

und Susi ist eine Schildkröte.

Sehr erfreut!

Karin ist ein Kaninchen,

Morgen!

und Max ist ein Meerschweinchen.

Hallo!

Draußen wohnt Ferdinand, das Pferd.

*e*₂

Einige Freunde von Hannelore wohnen nicht in der Tierhandlung. Sie wohnen bei einer netten Menschenfamilie.

Hör gut zu. Jetzt sagen andere Haustiere, wie sie heißen, was sie sind, bei wem sie wohnen und wie es ihnen geht. Füll diese Tabelle aus!

Name	Was	Wohnt in . . .	Wie geht's?
1			
2			
3			

Sieh dir das Bild an. Wie viele Hunde, Katzen, Fische, Mäuse und Pferde gibt es?

Wir haben die Freunde im Andreae-Gymnasium in Herrenberg gefragt, ob sie Haustiere haben. Füll diese Tabelle aus.

	Haustiere	**Name**	**Alter**
Sabine Oliver Jens Silke Heiko			

Hast du Haustiere? Frag deinen Partner.

Haustiere
Andreas ist . . .
ein Fisch   eine Maus   ein Kaninchen ein Hamster   eine Katze   ein Pferd
Ich habe . . .
ein**en** Fisch   eine Maus   ein Kaninchen ein**en** Hamster eine Katze   ein Pferd
2 Fische   2 Mäuse   2 Kaninchen 2 Hamster   2 Katzen   2 Pferde 2 Hunde   2 Schlangen   2 Meerschweinchen

*e*6 Christian hat ein merkwürdiges ‚Haustier'!

Ich habe einen Tiger. Er heißt Toni.
Er wohnt in der Wilhelma (das ist der Zoo in Stuttgart). Ich habe ihn adoptiert. Er ist ein gefährdetes Tier. Er ist sechzehn Jahre alt.

Toni hat viele Freunde, die auch in Gefahr sind: Welche Nummer paßt zu welchem Tier?

Wanderfalke
Panda
Gorilla
Weißstorch
Fledermaus
Seehund
Eisbär
Wal
Fischotter
Nashorn
Afrikanischer Elefant
Tiger
Meeresschildkröte

e7 Wie viele Tiere kannst du hier finden?

Zusammenfassung   *Was habe ich gelernt?*

Wenn du fertig bist, mach einen Haken! Wenn du nicht fertig bist, versuch's noch einmal.

	Prima	Gut	Nicht sehr gut	Seite
Ich kann fragen:				
1 Hast du Geschwister?				21
2 Wie heißt er/sie?				26
3 Wie heißen sie?				26
4 Wie alt ist er/sie?				26
5 Wie alt sind sie?				26
6 Wo wohnst du?				29
7 Hast du Haustiere?				34
Ich kann sagen:				
8 Ich habe einen Bruder/eine Schwester.				23
9 Mein Bruder/Meine Schwester heißt . . .				24
10 Mein Bruder/Meine Schwester ist . . . (Jahre alt)				24
11 Ich wohne in . . .				28
12 Ich habe [+ Haustiere]				34

3 Rund um die Welt

A Wo liegt das?

a_1 Deutsche Städte

1 ▽

2 ▷

3 ▽

6 ▽

4 △

5 ▷

8 △

7 ▷

10 ▷

9 ▷

Hör gut zu. In Deutschland gibt es viele schöne
Städte. Hier sind zehn Fotos von zehn Städten
. . . aber welches Foto ist welche Stadt? Die zehn
Städte werden jetzt buchstabiert. Wer kann alle
zehn richtig schreiben?

a_2 Wo liegt das?

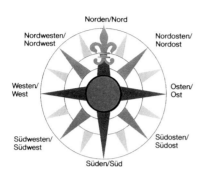

1   Essen liegt östlich von Düsseldorf.
2   Kassel liegt in der Mitte Deutschlands.
3   Hannover liegt nördlich von Kassel.
4   Berlin liegt in Ostdeutschland.
5   Leipzig liegt südlich von Berlin.
6   Würzburg liegt westlich von Bamberg.
7   Herrenberg liegt in der Nähe von Stuttgart.
8   Kiel liegt in Norddeutschland.
9   München liegt in Süddeutschland.
10   Stuttgart liegt in Südwestdeutschland.

a3 Florian macht seine Erdkundehausaufgaben. Er muß sagen, wo die Städte in Deutschland liegen. Sieh dir die Karte Deutschlands an. Sind die folgenden Sätze richtig (√) oder falsch (×)?

1 Bremen liegt in Süddeutschland.
2 München liegt in Süddeutschland.
3 Hamburg liegt in Südwestdeutschland.
4 Stuttgart liegt in der Nähe von Herrenberg.
5 Leipzig liegt in der Nähe von Mainz.
6 Bonn liegt nördlich von Köln.
7 Tübingen liegt in Süddeutschland und südlich von Stuttgart.
8 Hamburg liegt in Norddeutschland und nördlich von Kiel.
9 Dresden liegt in Süddeutschland und westlich von München.
10 Rostock liegt in Südwestdeutschland in der Nähe von Freiburg.

Regensburg

Bremerhaven

Düsseldorf

Rostock

Freiburg

Kannst du diese Fragen beantworten?

11 Wo liegt Bremerhaven?
12 Wo liegt Regensburg?
13 Wo liegt Freiburg?
14 Wo liegt Berlin?
15 Wo liegt Düsseldorf?
16 Wo liegt Schwerin?

*a*₄ **Wo wohnst du, Oliver?**

‚Ich wohne in Jettingen. Jettingen ist ein kleines Dorf in Süddeutschland. Jettingen liegt in der Nähe von Herrenberg, und zwar ungefähr zehn Kilometer von Herrenberg entfernt. Herrenberg selbst liegt in der Nähe von Stuttgart.'

Jettingen

Herrenberg

Stuttgart

Hör gut zu.

Oliver hat viele Brieffreunde. Sie wohnen in ganz Deutschland. ‚Ich habe hier eine Kassette. Meine Freunde stellen sich darauf vor – kannst du sagen: Wer wohnt wo?'

Klaus
Susanne
Stefan
Petra
Xaver
Sabine

Bochum △

△ Düsseldorf

Würzburg △

Bremerhaven ▽

Frankfurt ▽

Kassel ▽

	Name	Alter	Stadt	Wo liegt das?
1				
2				
3				
4				
5				
6				

a 6

Florians Tante arbeitet beim Süddeutschen Rundfunk (der Süddeutsche Rundfunk ist ein Fernsehsender).

SÜDDEUTSCHER RUNDFUNK
Name: Thomas Budde
Alter: Siebzehn
Wohnort: Flensburg

SÜDDEUTSCHER RUNDFUNK
Name: Sonja Meischke
Alter: Zwanzig
Wohnort: Berlin

SÜDDEUTSCHER RUNDFUNK
Name: Axel Beck
Alter: Zwölf
Wohnort: Tübingen

SÜDDEUTSCHER RUNDFUNK
Name: Andrea Möller
Alter: Fünfzehn
Wohnort: Köln

SÜDDEUTSCHER RUNDFUNK
Name: Hans Holtmann
Alter: Siebzehn
Wohnort: Düsseldorf

SÜDDEUTSCHER RUNDFUNK
Name: Marika Stockhusen
Alter: Vierzehn
Wohnort: Lübeck

SÜDDEUTSCHER RUNDFUNK
Name: Marco Korschewski
Alter: Sechszehn
Wohnort: Leipzig

SÜDDEUTSCHER RUNDFUNK
Name: Sigrid Moser
Alter: Elf
Wohnort: Regensburg

Eine neue Quizsendung wird produziert. Acht Leute haben sich gemeldet. Links siehst du die Anmeldeformulare:

Kannst du helfen? Sie braucht vier Leute. Sie müssen alle aus verschiedenen Teilen Deutschlands sein . . .

eine Person aus Norddeutschland,
eine Person aus Süddeutschland
eine Person aus Westdeutschland
eine Person aus Ostdeutschland.

Sie müssen alle zwischen zwölf und sechzehn Jahren alt sein.

*a*7   Rätsel

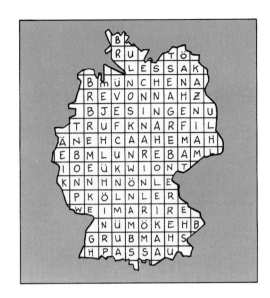

Wie viele deutsche Städte kannst du auf dieser
‚Wortkarte' finden?

B   Die weite Welt

*b*1   Peng-Peng geht nicht auf das Andreae-
Gymnasium in Herrenberg, sondern ist auf dem
Hölderlin-Gymnasium in Nürtingen bei
Stuttgart. Peng-Peng kommt aus China.
Hör gut zu. Jetzt stellen sich Peng-Peng und
ihre Freunde vor.

	Name	**Alter**	**Land**	**Geschwister**
1	Peng-Peng	15	China	
2				
3				
4				
5				
6				

Schreib ganze Sätze. Zum Beispiel:

1 Peng-Peng ist fünfzehn. Sie wohnt in
Deutschland und kommt aus China. Sie hat . . .

WELTKARTE

RUSSLAND

ALASKA

GRÖNLAND

KANADA

ISLAND

GR. BRIT.
SCHOTT.
ÖST.   NIE.
NORWEGEN
DÄNEMARK
IRLAND

BEL.
LUX.
FRANK.
KRO

VEREINIGTE STAATEN
(USA)

POR.   SPAN.   SCHW.

ATLANTISCHER

MEXIKO

MAROKKO
SAHARA   ALGERIEN   LI

MAURETANIEN

MALI   NIGER

KUBA
HAITI DOMINIKAN.
REP.
GUATEMALA HONDURAS

SENEGAL   TS

NICARAGUA
VENEZUELA   GUYANA
PANAMA   SURINAM

GUINEA
GHANA
NIGERIA
KAMERUN

KOLUMBIEN

SIERRA LEONE
LIBERIA

BENIN
ECUADOR   TOGO   GABUN

KO

BRASILIEN

ANG

PERU

PAZIFISCHER   BOLIVIEN   OZEAN   NAM

CHILE   PARAGUAY

OZEAN

URUGUAY
ARGENTINIEN

BEL.	————	BELGIEN	KRO.———	KROATIE
BULG.	————	BULGARIEN	LUX.———	LUXEMBU
DEUTSCH.	———	DEUTSCHLAND	MAK.——	MAKEDON
FRANK.	———	FRANKREICH	NIE.———	NIEDERLA
GRIE.	————	GRIECHENLAND	ÖST.——	ÖSTERRE
GR. BRIT.	———	GROSSBRITANNIEN	POL.——	POLEN
ITA.	————	ITALIEN	POR.——	PORTUGA
JUG.	————	JUGOSLAWIEN	RUM.——	RUMÄNIE

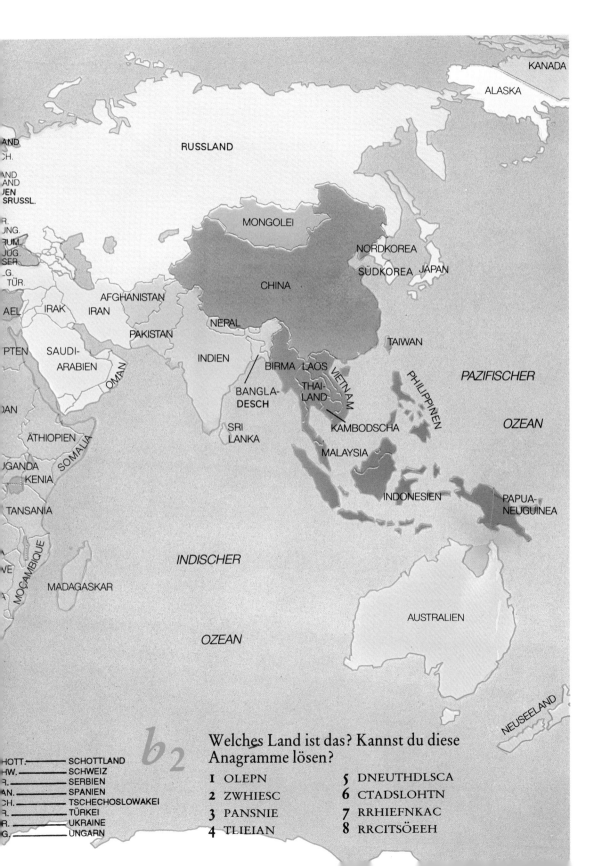

KANADA

ALASKA

RUSSLAND

...AND
...CH.
...AND
...AND
...EN
...SRUSSL.

...R.
...JNG.
...RUM.
...JUG.
...SER.
...LG.
...TÜR.

MONGOLEI

NORDKOREA

SÜDKOREA JAPAN

CHINA

AFGHANISTAN

IRAK IRAN

...AEL

NEPAL

PAKISTAN

...PTEN

SAUDI-
ARABIEN

OMAN

INDIEN

TAIWAN

BIRMA LAOS

BANGLA-
DESCH

THAI-
LAND

VIETNAM

PHILIPPINEN

PAZIFISCHER

...DAN

ÄTHIOPIEN

SRI
LANKA

KAMBODSCHA

OZEAN

...JGANDA
KENIA

SOMALIA

MALAYSIA

TANSANIA

INDONESIEN

PAPUA-
NEUGUINEA

...VE

MOÇAMBIQUE

INDISCHER

MADAGASKAR

AUSTRALIEN

OZEAN

NEUSEELAND

b2

Welches Land ist das? Kannst du diese Anagramme lösen?

HOTT.———— SCHOTTLAND
HW.———— SCHWEIZ
R.———— SERBIEN
AN.———— SPANIEN
CH.———— TSCHECHOSLOWAKEI
R.———— TÜRKEI
R.———— UKRAINE
G.———— UNGARN

1 OLEPN	5 DNEUTHDLSCA
2 ZWHIESC	6 CTADSLOHTN
3 PANSNIE	7 RRHIEFNKAC
4 TLIEIAN	8 RRCITSÖEEH

b₃ Was sagen diese Leute in diesen Briefen? Füll diese Tabelle aus:

	1	2	3	4
Name				
Alter				
Wohnort				
Haustiere				
Familie				

Brief 1:

Bonjour! Salut!

Ça va? Das heißt, "wie geht's?" auf deutsch. Mir geht's prima!
Ich heiße Laurence und komme aus Paris. Paris ist die Hauptstadt von Frankreich und ist sehr lebendig.
Ich bin 15 Jahre alt und mein Lieblingsfach ist Englisch. Später möchte ich einmal Lehrerin werden.
Ich wohne noch bei meinen Eltern. Sie heißen Colette und Hubert. Meine Mutter ist Hausfrau, mein Vater arbeitet als Ingenieur.
Meine Schwester ist 30 Jahre alt und wohnt mit ihrer Tochter Tiphaine in Marseille an der Mittelmeerküste. Sie ist Krankenschwester.
Als Haustier habe ich nur einen Goldfisch. Das war's erstmal für dieses Mal.
Viele Grüße, schreib' mir mal!
Tschüß,
Deine
Laurence xx ☺

1

Brief 2:

Hallo!

Ich heiße Karl Weber. Ich bin fünfzehn Jahre alt und habe braune Augen und braune Haare. Ich wohne in einer Wohnung in einem Hochhaus in Wien.
Mein Vater kommt aus Wien und ist Geschäftsmann. Meine Mutter heißt Ester und kommt aus Spanien. Ich habe keine Geschwister. Aber wir haben zwei Hunde: Rex, eine große, schwarze Dogge (erst nur ein Jahr alt), und Teddy, einen grauen Pudel. Er ist schon sehr alt - aber sehr lieb. In meiner Freizeit gehe ich mit den Hunden spazieren oder höre ich Musik.
Hast du Haustiere?
Bis bald
Karl.

2

Brief 3:

¡Hola! ¿Qué tal?

Ich heiße Ester und komme aus Córdoba in Spanien. Córdoba liegt in der Nähe von Granada. Granada ist ganz im Süden von Spanien und im Sommer ist es hier sehr heiß.
Ich wohne noch bei meinen Eltern. Sie heißen Francisco - so heißt mein Vater - und Carmen - so heißt meine Mutter. Sie arbeitet als Grundschullehrerin und mein Vater als Geschichts- und Erdkundelehrer.
Ich bin übrigens 23 Jahre alt und mein Lieblingsfach ist Englisch. Nächstes Jahr werde ich mein Examen machen und möchte danach Englisch studieren, um Lehrerin zu werden.
Ich habe eine Schwester. Sie heißt Lourdes und ist 21 Jahre alt. Sie arbeitet als Dolmetscherin.
Haustiere haben wir keine, da wir so selten zu Hause sind.
Ich freue mich schon auf eine Antwort von Dir. Bis bald,
Ester.

3

Brief 4:

Hallo neuer Freund!
Hallo neue Freundin!

Ich bin Katharina Berger aus Tirol in Österreich. Ich wohne in Innsbruck. Das ist die Hauptstadt von Tirol. Es ist eine kleine Stadt. Ich wohne in einem großen neuen Haus. Es hat viele Zimmer.
Im Winter und Sommer kommen viele Touristen zu uns. Mein Vater arbeitet im Haus, meist für die Touristen - er heißt Jörg. Meine Mutter arbeitet bei der Post - sie heißt Trude. Ich habe einen Bruder. Er ist achtzehn und ist Skilehrer.
Ich bin erst sechzehn Jahre alt und gehe noch in die Schule. Ich habe keine Haustiere. Leider. Die Touristen mögen oft keine Tiere. Ich mag Katzen!!
Das ist alles von mir. Ich freue mich auf einen Brief!
Liebe Grüße,
☺ KATHARINA ☺

4

C Das Wetter

C 1

Die Wettervorhersage für heute. Hör gut zu. Wie ist das Wetter in Deutschland? Hör dir die Wettervorhersage gut zu und schreib auf, wie das Wetter in den zehn Städten ist.

Stadt	Wetter	Stadt	Wetter
1 München 2 Hamburg 3 Kiel 4 Bremen 5 Dresden		6 Berlin 7 Leipzig 8 Bonn 9 Frankfurt am Main 10 Stuttgart	

C 2

In den Zeitungen gibt es bestimmte Zeichen für das Wetter. Aber was bedeuten sie?

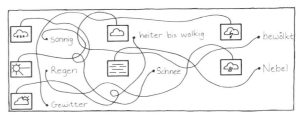

Jetzt sieh dir die Wetterkarte aus der *Hamburger Morgenpost* an und schreib mal auf, wie das Wetter in den folgenden Städten ist.

1 Wie ist das Wetter in Leipzig?
   In Leipzig gibt es . . .
2 Wie ist das Wetter in Kiel?
   In Kiel ist es . . .
3 Wie ist das Wetter in Essen?
   In Essen ist es . . .
4 Wie ist das Wetter in Dresden?
   In Dresden gibt es . . .
5 Wie ist das Wetter in Stuttgart?
   In Stuttgart ist es . . .
6 Wie ist das Wetter in Nürnberg?
   In Nürnberg gibt es . . .

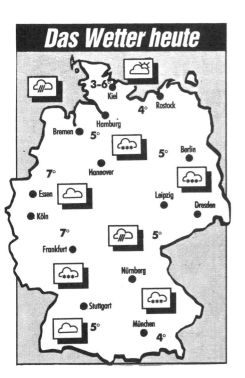

Das Wetter heute

C3 Hör gut zu. Internationaler Wetterbericht. Wie ist das Wetter im Ausland? Verbinde das *Land* mit der *Temperatur* und mit der *Wetterlage*.

	Land	Temperatur	Wetterlage
1	England	14	bedeckt
2	Nordfrankreich	20	sonnig
3	Südfrankreich	17	bedeckt/sonnig
4	Schweiz	28	heiß
5	Norditalien	10	es regnet
6	Süditalien	23	sonnig, warm

C4 Sieh dir die Wetterkarte des Kölner Stadt-Anzeigers an.

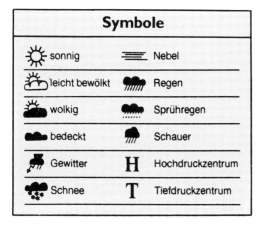

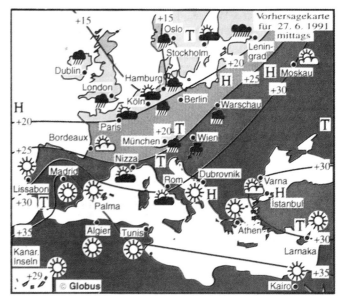

Welche Aussagen sind falsch, und welche sind richtig?

1 In Stockholm ist es wolkig.
2 In Palma ist es leicht bewölkt.
3 In Madrid ist es sonnig.
4 In München gibt es Nebel.
5 In Wien gibt es Gewitter.
6 In London gibt es Schauer.
7 In Paris schneit es.
8 In Kairo gibt es Sprühregen.

Wie ist das Wetter in:

1 Moskau?
2 Bordeaux?
3 Algier?
4 Dublin?
5 Dubrovnik?
6 Oslo?

C 5   Hier sind die Wettersymbole aus dem
Schwäbischen Tagblatt ...

Regen   wechselhaft   Gewitter   heiter   Schnee   bewölkt   windig

... und hier vier Wetterkarten aus dieser
Zeitung.

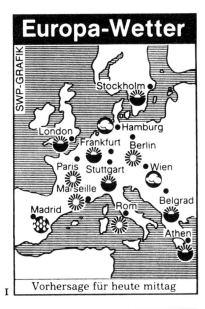 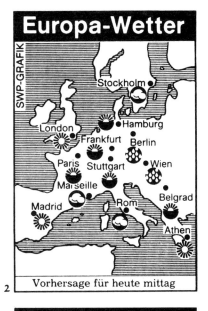

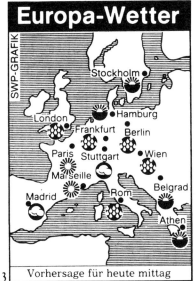 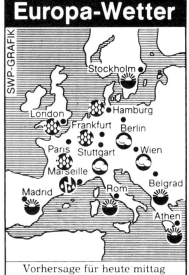

Hör dir diese vier Wetterberichte an. Welche
Wetterkarte gehört zu welchem Bericht?

C 6

Aus dem Radio und Fernsehen. Hör gut zu und schreib die Einzelheiten auf.

Bericht Nr.	Wetter	Temperaturen
1		
2		
3		
4		

Zusammenfassung   *Was habe ich gelernt?*

Wenn du fertig bist, mach einen Haken! Wenn du nicht fertig bist, versuch's noch einmal.

	Prima	Gut	Nicht sehr gut	Seite
Ich kann fragen:				
1 Wo liegt das?				38
2 Woher kommst du?				43
3 Wie ist das Wetter?				47
Ich kann sagen:				
4 Das liegt in Norddeutschland usw.				38
5 Ich komme aus ... + Land.				43
6 Es regnet usw. (das Wetter)				47

4 Freunde, Freizeit und Familie

A Was sind deine Hobbys?

a 1   Hör gut zu! Sieh dir das Bild an! Welche Hobbys hörst du hier?

a_2 Kannst du sagen: Wer macht was? Hör gut zu.
Füll diese Tabelle aus:

Name	Hobby
1 Sabine	
2 Tanja	
3 Hartmut	
4 Oliver	
5 Florian	
6 Sonja	
7 Andrea	

1

2

3

4

5

6

7

a 3   Hör gut zu! Sechs Jungen und Mädchen sagen, was ihre Hobbys sind. Verbinde die Namen (auf der linken Seite) mit den Hobbys (auf der rechten Seite)!

Horst

Stefanie

Melanie

Holger

Julia

Max

Tennis

mit dem Computer spielen

Fußball

Handball

Klavier spielen

radfahren

Briefmarken sammeln

Gitarre spielen

reiten

fernsehen

schwimmen

malen

Musik hören

a 4   Das hier ist Stefans Zimmer. Was sind seine Hobbys?

a **5** Umfrage. Frag jetzt deine Freunde, was ihre Hobbys sind! Mach eine Tabelle wie bei Aufgabe A2.

Du könntest so fragen ...

‚Was sind deine Hobbys?‘

... und die Antwort ...

‚Meine Hobbys sind Tennis, Fußball, Briefmarken sammeln und mit dem Computer spielen.‘

a **6** Sieh dir diese Seite aus *Bravo* an. Das ist eine Zeitschrift für junge Leute. Viele Leser schreiben an die Zeitschrift – sie suchen Freunde. Kannst du einen Partner für die Leute auf Seite 55 finden?

Im BRAVO-Treffpunkt könnt Ihr Brieffreunde aus dem In- und Ausland finden. Die Veröffentlichung ist kostenlos.

Schickt Euren Kurztext und ein Paßfoto an BRAVO-Treffpunkt, 8000 München 100. Falls zu viele Partnerwünsche eingehen, entscheidet das Los, wer veröffentlicht wird. Rücksendung leider nicht möglich.

Ich bin 11½ Jahre und mein Briefkasten hat schrecklichen Hunger. Suche Briefkontakte aus Deutschland und England. Hobbys: Tanzen, Musik, Radfahren ... Jeder Brief wird beantwortet. Kerstin Bunse, Holtkamp 14, 4712 Werne

16jähriger sucht nette Brieffreundinnen aus ganz Deutschland. Hobbys: Modellbahn, Musik, Radfahren. Schreibt mit Foto an Andreas Kuklinski, Wiesbadener Straße 54, 4100 Duisburg 12

Ich bin 16, Zwilling und suche schreibwütige Jungen und Mädchen im Alter von 14–17. Hobbys: Musik, Tiere, Sport ... Schreibt an Martina Senf, Judentumer Weg 14, 2890 Nordenham 1

Einsamer Junge (15) sucht nette Brieffreundin zwischen 15 und 18. Hobbys: Musik, Mofas und Mädchen. Wer Interesse hat, schreibt mit Foto an: Jens Martin, Kieler Straße 18, 2371 Bredenbek

Wer hat Lust, einer 14jährigen „Jungfrau" zu schreiben? Ich lese gern, spiele Tischtennis und Tennis ... Schreibt mit Foto an: Alexandra Mittelstädt, Schulstraße 19, 3017 Pattensen 5

Welches süße Mädchen hat Lust, einem 16jährigen, einsamen Boy zu schreiben? Ihr solltet zwischen 15 und 17 sein. Hobbys: Kino, Schwimmen und Musik. Schreibt mit Foto an: Achim Eick, Sulzbacher Straße 2, 8751 Sulzbach

14½jähriger Skorpion-Boy sucht Brieffreunde/innen zwischen 12 und 15 aus Deutschland. Hobbys: Schwimmen, Fußball, Lesen ... Schreibt mit Foto an Frank Linkens, Schildstraße 24, 5132 Übach 4

Lustiges Waage-Girl (14) sucht nette Brieffreundschaft. Ihr solltet zwischen 14 und 17 sein. Jeder Brief wird beantwortet. Schreibt bitte mit Foto an: Silvia Edler, Im Pütten 18, 4950 Minden

14jähriger Stier sucht nette Girls für eine Brieffreundschaft und anderes. Ihr solltet zwischen 12 und 16 sein. Ich mache alles gern, außer ... Bitte schreibt mit Foto an: Markus Gehring, Haydnweg 32, 7107 Neckarsulm II

16jähriges, humorvolles Stier-Girl sucht nette Brieffreundschaften aus der ganzen Welt. Alter ist egal. Hobbys: Lesen, Tanzen, Schwimmen ... Jeder Brief wird beantwortet. Schreibt an: Jutta Schmid, Hubertushof/Platz 2, 8900 Augsburg

In meinem Briefkasten feiern die Spinnweben ihr 16jähriges Jubiläum! Ich suche nette Mädchen zwischen 15 und 19. Hobbys: Fußball und Schwimmen. Schreibt doch mit Foto an: Oliver Bohl, Bittburger Straße 217, 5501 Welchbillig

SOS, mein Briefkasten verhungert – braucht schnell Briefe. Ich bin 14 und suche nette „boys and girls" zwischen 14 und 17. Hobbys: Tanzen, Musik, Lachen ... Schreibt schnell, mit Foto, an: Sandra Schöttke, Jägerstraße 33, 4670 Lünen

15jähriger, gutaussehender Jungfrau-Boy sucht Girls im Alter von 14–16. Späteres Kennenlernen nicht ausgeschlossen. Hobbys: Schwimmen, Disco ... Schreibt bitte mit Foto an: Christian Jost, Schulstraße 10, 6507 Ingelheim

Hallo. Ich heiße Sabine, und ich wohne in Marseille, in Südfrankreich. Ich bin sechzehn Jahre alt, und meine Hobbys sind Lesen, Tanzen und Schwimmen.

Ich bin Sonja und ich wohne in Herrenberg und bin elf Jahre alt. Meine Hobbys sind Musik (besonders Popmusik), Tiere (ich habe einen Hund, zwei Katzen und viele Fische) und Sport. Schreib bitte mit Foto.

Mein Name ist Liesel, ich bin fünfzehn und wohne in Leipzig. Ich suche einen Brieffreund im westlichen Teil Deutschlands. Meine Hobbys sind Schwimmen, Kino und Musik.

Ich bin elf Jahre alt. Ich heiße Dieter, und ich wohne in Nordengland. Meine Hobbys sind Musik, Radfahren und Tanzen.

Hallo, ich heiße Jasmin, und ich wohne in Luzern in der Schweiz. Ich bin zwölf Jahre alt, und meine Hobbys sind Disco und Schwimmen. Schreib bitte schnell.

Hallo. Ich heiße Kurt, und ich wohne in Potsdam. Meine Hobbys sind Lesen, Tischtennis und Tennis. Schreib mir bitte.

a 7 Schreib jetzt dein eigenes Inserat für die Zeitschrift!

B Was machst du in deiner Freizeit?

b 1 Hör gut zu! Schau dir die Bilder an. Was machen diese Freunde aus Herrenberg in ihrer Freizeit? Du mußt eins von den drei Bildern auswählen.

1 Yawar

2 Anne

3 Jürgen

4 Mandana

5 Iris

6 Arne

7 Elise

*b*₂

Benutze die Bilder auf Seite 55. Wähl dir drei Hobbys aus. Dein Partner muß Fragen stellen, um deine Hobbys zu erraten. Du antwortest nur mit ‚Ja' oder ‚Nein'. Zum Beispiel: Du wählst ‚Ich gehe schwimmen, ich gehe surfen und ich sammle Briefmarken' aus.

> Partner: Spielst du Tennis?
> Du: Nein.
> Partner: Gehst du schwimmen?
> Du: Ja!
> Partner: Gehst du ins Kino?
> Du: Nein.
> Partner: Machst du Judo?
> Du: Nein . . . und so weiter!

Wie viele Fragen muß dein Partner stellen, um alle drei zu erraten?

*b*₃

Julia, Anna und Siggi spielen *Wer bin ich?* Julia ist eine berühmte Person. Ist sie . . .

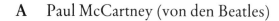

A   Paul McCartney (von den Beatles)

B   Florence Nightingale

C   Mozart

D   Marilyn Monroe

E   Beethoven

Anna und Siggi stellen Fragen – kannst du dieses
Rätsel lösen?

	Frage	Antwort
►	1 Bist du Deutscher/Deutsche?	Nein
	2 Gehst du ins Kino?	Nein ◄
►	3 Siehst du fern?	Nein
	4 Liest du Bücher?	Ja ◄
►	5 Schreibst du Bücher?	Nein
	6 Schreibst du Musik?	Ja ◄
►	7 Schreibst du Briefe?	Ja
	8 Sammelst du Radiergummis?	Nein ◄
	9 Fährst du Skateboard?	Nein
	10 Spielst du Rugby?	Nein ◄
►	11 Spielst du ein Instrument?	Ja
	12 Spielst du Gitarre?	Nein ◄
►	13 Spielst du Klavier?	Ja
	14 Spielst du Geige?	Ja ◄
►	15 Lebst du noch?	Nein

b **4**   Geh um die Klasse und frage viele Leute, bis du
diese Aufgabe erledigt hast!

Finde jemand in deiner Klasse,
    der Fußball spielt!
    der Radiergummis sammelt!
    der Comics liest!
    der fernsieht!
    der klassische Musik hört!
    der ins Theater geht!

*b*5 Heidi und Heike sind Zwillinge. Hier sind zwei Bilder von ihren Zimmern – kannst du sagen, was ihre Hobbys sind? Was macht Heidi, was Heike *nicht* macht? Was macht Heike, was Heidi nicht macht? Mach zwei Listen!

Was machst du?			
ich spiele du spielst er spielt sie spielt	Tennis Fußball Tischtennis Klavier Gitarre	ich höre du hörst er hört sie hört	Musik CDs Cassetten Platten
ich gehe du gehst er geht sie geht	einkaufen spazieren ins Kino in die Stadt	ich fahre du fährst er fährt sie fährt	Rad Ski
ich sammle du sammelst er sammelt sie sammelt	Briefmarken Münzen		

C Meine Freunde, meine Familie – wir verstehen uns sehr gut!

Er ist sehr nett.

Er ist gemein.

Sie ist sehr faul.

Sie ist fleißig.

Sie ist sehr lustig.

Er ist dumm.

Er ist sehr klug.

Sie ist sehr sportlich.

Sie ist ziemlich ernst.

Er ist dick.

Er ist schlank.

Junge Deutsche sprechen über ihre Familie und über ihre Freunde:

Gisela: Meine beste Freundin heißt Claudia. Sie ist dreizehn und ist schlank, groß und sehr freundlich. Sie spielt gern Tischtennis, und wir gehen oft zusammen einkaufen. Wir verstehen uns sehr gut.

Hans: Mein bester Freund heißt Martin. Er ist auch vierzehn und ist ziemlich sportlich, und er ist lustig und ziemlich groß. Er spielt gern Fußball, und wir fahren oft zusammen ins Fußballstadion. Wir verstehen uns sehr gut.

Ilse: Meine Mutter ist ziemlich dick und ziemlich klein, aber sie ist sehr lustig. Sie fährt gern Ski, und wir fahren oft zusammen Ski im Winter. Wir verstehen uns sehr gut.

*C*1   Hör gut zu! Vier Schüler sprechen auf der Kassette. Wie sind ihre Freunde? Was sind ihre Hobbys?

	Freund	Eigenschaft(en)	Hobbys
1 Werner 2 Britta 3 Martin 4 Anke			

*C*2   Selbstbewertung – wie bist du? Füll eine Kopie dieser Tabelle aus:

Ich denke, ich bin . . .					
sehr nett	☐	ziemlich nett	☐	nicht nett	☐
sehr gemein	☐	ziemlich gemein	☐	nicht gemein	☐
sehr faul	☐	ziemlich faul	☐	nicht faul	☐
sehr unfreundlich	☐	ziemlich unfreundlich	☐	nicht unfreundlich	☐
sehr groß	☐	ziemlich groß	☐	nicht groß	☐
sehr sportlich	☐	ziemlich sportlich	☐	nicht sportlich	☐
sehr lustig	☐	ziemlich lustig	☐	nicht lustig	☐
sehr schlank	☐	ziemlich schlank	☐	nicht schlank	☐

Denk an eine bekannte Persönlichkeit (zum Beispiel einen Popstar oder einen Sportler). Du bist jetzt diese Person! Das Gespräch geht so:

Du: Wie heißt du?
Dein Partner: Ich heiße Bart Simpson.
Du: Ich denke, du bist nicht nett, sehr unfreundlich und nicht sportlich.
Dein Partner: Hey Dude! Ich bin der Bartman. Ich bin sehr nett, sehr freundlich, und . . . also . . . na . . . nicht sportlich!

D Was macht ihr heute?

Sabine geht heute nachmittag mit Tanja aus. In der Stadt treffen sie Oliver und Hartmut.

Was macht ihr heute?

Wir spielen zusammen Tennis, und dann gehen wir ins Kino. Was macht ihr?

Wir gehen einkaufen. Wir spielen dann Tischtennis oder hören zusammen Musik.

OK. Tschüs!

*d*₁ Was sagen diese Leute? Kannst du die Sprechblasen (1–5) mit den Sätzen (a–e) ausfüllen?

a Wir gehen ins Kino.

b Wir fahren heute Ski.

c Wir gehen heute schwimmen.

d Wir spielen heute Fussball.

e Wir gehen heute einkaufen.

d₂ Was sagen diese Leute?

1

Wir lesen ein Buch

2

Wir gehen in die Stadt und gehen einkaufen

3

Wir fahren Rad und gehen ins Kino

4

Wir spielen mit dem Computer

d₃ Finde deinen Partner!

1 Du bekommst ein Hobby von deinem Lehrer. Das ist dein Hobby! Du fragst alle in der Klasse, was sie heute machen.

Zum Beispiel: ‚Was machst du heute?‘
‚Ich spiele Fußball.‘
‚Oh, ich gehe ins Kino.‘

Wenn du deinen Partner findest, sagst du ‚Ich auch!‘

2 Mit deinem Partner fragst du die anderen.

Zum Beispiel: ‚Hallo! Was macht ihr heute?‘
‚Wir spielen Tennis.‘
‚Was macht ihr?‘
‚Wir gehen ins Kino.‘

Wenn ihr eure Partner findet, sagt ihr: ‚Wir auch!‘.

*d*4 Was machen diese Leute? Spielen sie Tennis?
Fahren sie Rad? Gehen sie ins Kino?

*d*5 Hast du die Ergebnisse deiner Umfrage (A5)?
Schreib jetzt auf, was deine Klassenkameraden
in ihrer Freizeit machen.

Zum Beispiel:

> ### 4. Dezember
>
> Eine Umfrage: Was machen wir in unserer
> Freizeit?
>
> Emma, Tracey und Stephen spielen Tennis.
> John und Darren gehen einkaufen, und
> Donna fährt Rad. Ich sehe fern.

*d*6 Dies ist eine Liste von Vereinen in Herrenberg.

Freizeit – Sport – Wandern

CB-Funk-Freunde Herrenberg
Vors.: Heinz Gerke, Talstraße 31, 7044 Ehningen

Judoclub Herrenberg
Vors.: Klaus Glaser, Dreifürstensteinstraße 35
7403 Ammerbuch-Altingen, Telefon 70 85

Motorsportclub im ADAC
Vors.: Walter Kopp, Beethovenstraße 43, Telefon 65 57

Reit- und Fahrverein
Vors.: Heidrun Backhaus, Winkelweg 2, 7401 Altingen, Telefon 7 32 08

Schachverein Herrenberg e. V.
Vors.: Rainer Lempert, Goethestraße 24, Telefon 47 27

Tennis-Club
Vors.: Hans Wilhelm Mikorey, Gültsteiner Straße 88, Telefon 46 77

Verein für Leibesübungen Herrenberg e. V.
Vors.: Siegfried Dierberger, Feldbrühlstraße 6, Telefon 60 66
Geschäftsstelle: Bronngasse 13, Telefon 58 48
Geschäftszeiten:
Dienstag 15 bis 19 Uhr, Donnerstag 17 bis 19 Uhr

Abteilungen:

Badminton
Abt.-Ltr.: Albrecht Holzapfel, Hugo-Wolf-Straße 3, Telefon 57 56

Basketball
Abt.-Ltr.: Richard Pohl, Berberitzenweg 3, Telefon 7 15 75

Faustball
Abt.-Ltr.: Dr. Roland Feil, Walther-Knoll-Straße 3, Telefon 2 16 56

Fechten
Abt.-Ltr.: Detlef Zander, Ahornweg 1

Freizeitsport
Abt.-Ltr.: Franz Kleemann, Gänsbergring 32, Telefon 7 11 34

Fußball
Abt.-Ltr.: Heinz Seibl, Luitgardweg 6, Telefon 2 31 40

Handball
Abt.-Ltr.: Manfred Block, Johannesstraße 8, Telefon 65 97

Leichtathletik
Abt.-Ltr.: Rainer Knapp, Friedrichweg 8, Telefon 2 32 48

Schwimmen
Abt.-Ltr.: Christian Tups, Nelkenstraße 21/1, Telefon 3 25 04

Skilauf
Abt.-Ltr.: Detlef Jenkner, Schwarzwaldstraße 68, Telefon 3 15 59

Tischtennis
Abt.-Ltr.: Dr. Eberhardt Kern, Horber Straße 65/1, Telefon 40 78

Turnen
Abt.-Ltr.: Manfred Zurheide, Mainstraße 34, Telefon 3 24 99

Versehrtensport
Abt.-Ltr.: Gerhard Hiller, Karl-Millöcker-Straße 6, Telefon 2 64 03

Volleyball
Abt.-Ltr.: Brigitte Patz, Jennerstraße 6, Telefon 3 38 36

Sonstige Vereine und Vereinigungen

amnesty international Gruppe 1635 Herrenberg
Büro: Stuttgarter Straße 6, Gruppensprecher: Marianne Pfeiffer, Killesweg 15, 7047 Jettingen-O, Telefon (0 74 52) 7 52 19

Anonyme Alkoholiker (AA), Gruppe Herrenberg
Information: AA-Gruppe Reutlingen
Telefon (0 71 21) 34 07 97 oder 4 71 11 oder (0 71 27) 3 28 09

Bridge-Club Herrenberg
im Café Neumann

Deutsches Rotes Kreuz (DRK)
Vors.: Gerhard Kolb, Johannesstraße 15, Telefon 2 15 50

Evang. Kirchenchor
Dirigent: Gerhard Heinz, Pommernstraße 17, Telefon 7 19 25

Musikverein
Vors.: Gottlieb Schneider, Schlesierstraße 13, Telefon 7 42 56

Hier sind einige neue Einwohner in Herrenberg. Kannst du ihnen helfen? Schreib die Namen und die Telefonnummern von dem Verein auf.

Verben

spielen

ich spiele ...	... Tennis
du spiel**st**	Fußball
er spiel**t**	Tischtennis
sie spiel**t**	Klavier
wir spiel**en**	Gitarre
ihr spiel**t**	
sie spiel**en**	
Sie spiel**en**	

Auch: hören, gehen, malen, reiten, machen

Aber ...

fahren	**lesen**	**sehen**	**sammeln**
ich fahre	ich lese	ich sehe	ich sammle
du f**äh**rst	du l**ie**st	du s**ie**hst	du sammel**st**
er f**äh**rt	er l**ie**st	er s**ie**ht	er sammel**t**
sie f**äh**rt	sie l**ie**st	sie s**ie**ht	sie sammel**t**
wir fahr**en**	wir les**en**	wir seh**en**	wir sammel**n**
ihr fahr**t**	ihr les**t**	ihr seh**t**	ihr sammel**t**
sie fahr**en**	sie les**en**	sie seh**en**	sie sammel**n**
Sie fahr**en**	Sie les**en**	Sie seh**en**	Sie sammel**n**

Wir spielen gern Tennis.

Wir singen gern. Wir suchen einen Chor oder so was.

Wir fahren gern Ski. Gibt es hier einen Verein?

Ich trinke zuviel Bier. Das ist ein sehr großes Problem für mich. Wo kann ich Hilfe finden?

Zusammenfassung *Was habe ich gelernt?*

Wenn du fertig bist, mach einen Haken! Wenn du nicht fertig bist, versuch's noch einmal.

	Prima	Gut	Nicht sehr gut	Seite
Ich kann fragen: 1 Was sind deine Hobbys? 2 Was machst du in deiner Freizeit?				51 58
Ich kann sagen: 3 Meine Hobbys sind ... (+ Fußball/Klavier spielen/lesen/ fernsehen/radfahren/reiten/schwimmen usw.)				51
4 Die Verben (ich spiele, du spielst, er/sie spielt, wir spielen, ihr spielt, sie/Sie spielen)				65
5 Meine Familie und meine Freunde (Er/sie ist ... sportlich/unsportlich/nett/ gemein/lustig/ernst)				59

5 Wieviel?

A Was macht das zusammen?

20	zwanzig	21	**einund**zwanzig
		22	**zweiund**zwanzig
		23	**dreiund**zwanzig
		24	**vierund**zwanzig
		25	**fünfund**zwanzig
		26	**sechsund**zwanzig
		27	**siebenund**zwanzig
		28	**achtund**zwanzig
		29	**neunund**zwanzig
30	dreißig	31	einunddreißig usw.
40	vierzig	41	einundvierzig usw.
50	fünfzig	51	einundfünfzig usw.
60	sechzig		
70	siebzig		
80	achtzig		
90	neunzig		
100	hundert		

*a*₁ Kannst du die Zahl (auf der linken Seite) mit dem passenden Wort verbinden?

26	84	73	37
42	74	87	56
49	39	93	61
29	33	66	97

neununddreißig   siebenunddreißig
sechsundzwanzig   neunundzwanzig
neunundvierzig   sechsundfünfzig
vierundachtzig   sechsundsechzig
einundsechzig   dreiundneunzig
dreiundsiebzig   zweiundvierzig
siebenundneunzig   siebenundachtzig
dreiunddreißig   siebenundzwanzig

*a*₂ Sieh dir diese Seite aus dem Telefonbuch an.

Tonbanddienste

a) Tonbanddienste der Post

Allgemeine Hinweise über Fernmeldegebühren 15 35

APA (Austria-Presse-Agentur) Neueste Nachrichten 15 30
Unter dieser Rufnummer werden mehrmals am Tag die neuesten Nachrichten veröffentlicht.

Der gute Film Filmempfehlungen 15 22
Aufzählung und kurze Charakterisierung empfehlenswerter Filme, die in Grazer Kinos laufen.

Heiteres österr. Autoren 15 80
Unter dieser Rufnummer hören Sie laufend heitere Poesie und Prosa österreichischer Autoren. Bandwechsel Donnerstag.

In eigener Sache 15 20
Die Post informiert über Serviceleistungen und über neue Dienste.

Kochrezept des Tages 15 64
Unter dieser Rufnummer werden täglich neue Kochvorschläge mit genauer Rezeptangabe bekanntgegeben.

Lawinenwarndienst 15 49
Diese Ansage gibt in den Wintermonaten den Lagebericht des Lawinenwarndienstes der steiermärkischen Landesregierung bekannt.

Schallplatte des Tages 15 62
Unter dieser Rufnummer können Schallplattenfreunde an Werktagen Schlagermusik, an Samstagen Volksmusik und an Sonntagen Opern- und klassische Musik hören. Der Plattenwechsel erfolgt täglich um 7.30 Uhr.

Schneeberichte 15 83
Bei Bedarf werden unter dieser Rufnummer Berichte über die aktuellen Schneeverhältnisse bekannter Wintersportorte der Steiermark verlautbart.

Sportnachrichten 15 40
Unter dieser Rufnummer werden mehrmals am Tag die neuesten Sportnachrichten veröffentlicht.

Wetterberichte 15 66
Die lokalen Wetterberichte der Wetterdienststelle Klagenfurt für Steiermark werden für die gesamte Steiermark 2x täglich bekanntgegeben.

Zahlenlotto 0 22 2/15 65
Auf dieser Rufnummer werden Ziehungsergebnisse des „Kleinen Lottos" und der „Österr. Klassenlotterie" verlautbart.

Welche Nummer muß ich wählen ...

1 ... für einen guten Film?
2 ... für das Wetter?
3 ... für die Lottoergebnisse?
4 ... für die beste Musik?
5 ... für den Sport?

a 3 Hör gut zu. Herr Müller ist nicht im Büro, aber viele Kunden rufen an. Welche Telefonnummer hörst du auf dem Anrufbeantworter?

Kunde	Telefonnummer
1 Frau Zimmermann	
2 Herr Brock	
3 Frau Wiegel	
4 Frau Matthäus	
5 Frau Pieper	
6 Herr Gomez	

a 4 Und jetzt ... ein bißchen Mathematik ...! Schreib die Antworten auf.

Zum Beispiel: *Vierzehn* plus *neun* gleich *dreiundzwanzig* (23)
Dreißig minus *acht* gleich *zweiundzwanzig* (22)
Dreimal zwölf gleich *sechsunddreißig* (36)
Zehn durch *zwei* gleich *fünf* (5)

zweimal einundzwanzig gleich ....

dreimal zweiunddreißig gleich ....

vierundvierzig plus fünfunddreißig gleich ....

siebzehn plus vierzig gleich ....

neunzig minus einundzwanzig gleich ....

zweiundachtzig minus vierunddreißig gleich ....

achtundachtzig durch vier gleich ....

vierundfünfzig durch zwölf gleich ....

a 5 Sieh dir diese Lottokarte an und hör gut zu. Hat Frau Mustermann gewonnen – ja oder nein?

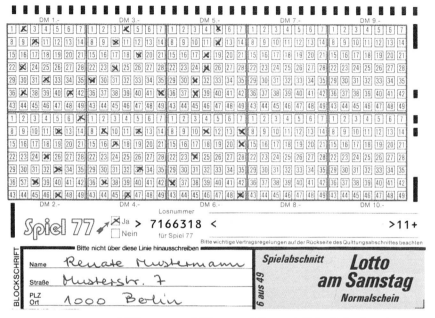

a 6 Hör gut zu! Unsere Eltern! Die Schüler der Klasse 7a sprechen über ihre Eltern:

Tanja: Mein Vater heißt Kurt, das ist K–U–R–T. Er ist achtundvierzig Jahre alt, und seine Hobbys sind Schach, Basteln und Musik. Meine Mutter heißt Angela, das ist A–N–G–E–L–A. Sie ist einundfünfzig Jahre alt, und ihre Hobbys sind Fußball, Musik und Golf.

Füll diese Tabelle für die anderen aus:

	Vater			Mutter		
	Name	Alter	Hobbys	Name	Alter	Hobbys
1 Tanja						
2 Andrea						
3 Hartmut						
4 Oliver						
5 Sabine						

Kannst du deine Eltern vorstellen? Name, wie man den Namen buchstabiert, Alter und Hobbys.

B Das Geld

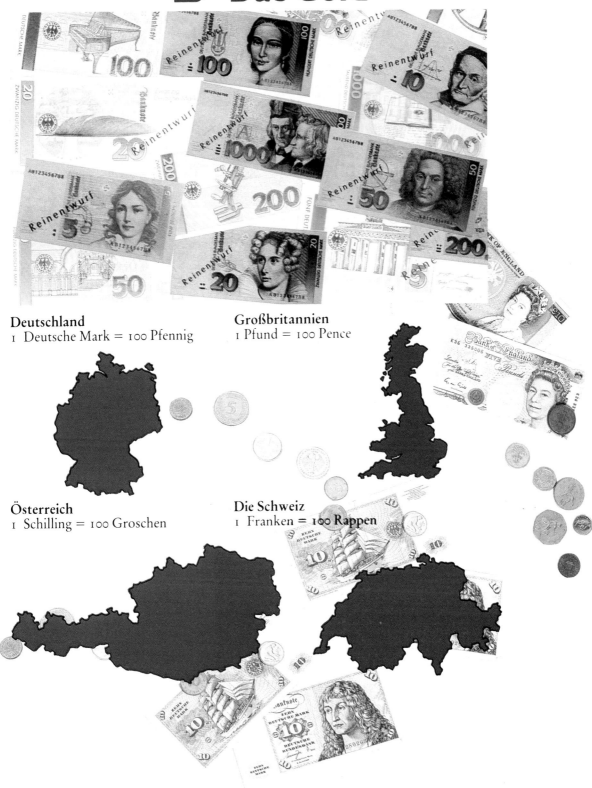

Deutschland
1 Deutsche Mark = 100 Pfennig

Großbritannien
1 Pfund = 100 Pence

Österreich
1 Schilling = 100 Groschen

Die Schweiz
1 Franken = 100 Rappen

b 1   Wo ist das? Wieviel kostet das? Füll eine Kopie der Tabelle aus, hör gut zu und schreib auf: Ist es in Deutschland, in Österreich oder in der Schweiz, und was kostet es?

a Im Supermarkt

b In der Post

c Im Kaufhaus

d An der Tankstelle

e Im Bahnhof

f In der Buchhandlung

g Am Imbißstand

h In der Bäckerei

Dialog	Wo – in Deutschland, in Österreich oder in der Schweiz?	Wieviel?
a b c d e f g h		

C Gehen wir zusammen in die Stadt?

Anke hat es immer eilig. In Deutschland ist meistens keine Schule am Nachmittag – die

Schule endet um etwa ein Uhr. Sie hat viel zu tun: Um zwei Uhr  spielt sie

Tischtennis mit Andreas, um halb vier geht sie ins Kino, zwischen sechs Uhr

und sieben Uhr macht sie ihre Hausaufgaben, um halb acht  spielt sie

Volleyball, und um zehn Uhr geht sie ins Bett.

Unsere Freunde sagen, was sie heute machen:

Hartmut:
Um halb zwei
spiele ich Musik, und
zwischen drei
Uhr und halb
sechs spiele ich
mit meinem Computer.

Andrea:
Ich spiele um
halb drei Flöte,
und zwischen
drei Uhr und
fünf Uhr
gehe ich joggen.

Tanja:
Ich spiele um
drei Uhr Tennis,
und ich gehe um
vier Uhr
schwimmen.

C1 Was machen diese Schüler? Kannst du Sätze bilden? Hör gut zu!

1 Sebastian　Ich spiele um Fußball.

Ich spiele um Handball.

3 Ute　Ich gehe um einkaufen.

Ich spiele um 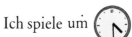 Klavier.

2 Britta　Ich lese um .

Ich gehe um schwimmen.

4 Renate　Ich spiele um 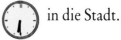 Tennis.

Ich gehe um in die Stadt.

5 Georg　Ich reite um .

C 2

Kannst du Olivers Terminkalender für heute ausfüllen? Er sagt, was er macht – du mußt alles eintragen!

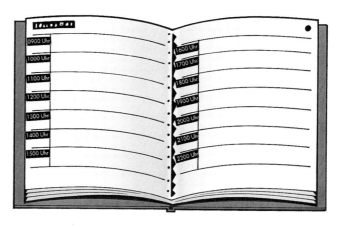

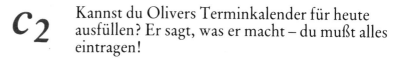

C 3

Andrea will heute nachmittag in die Stadt gehen. Sie will einkaufen gehen.

76 ... 89 ... 9 ... Hallo Sonja! Hier Andrea! Was machst du um zwei Uhr? Gehen wir heute zusammen in die Stadt? Hast du Lust?

Ich spiele Tennis um zwei Uhr. Dann um drei Uhr? Geht das?

Ja, prima, das geht! Bis dann. Tschüs!

Jetzt telefoniert Sonja mit Oliver.

57 ... 28 ... 77 ... Grüß dich Oliver! Hier Sonja. Andrea und ich gehen um drei Uhr in die Stadt. Du auch?

Ja, gerne. Aber ich gehe um halb drei schwimmen. Um vier? Geht das?

Das geht sehr gut. Bis dann. Tschüs!

C4 Was machen diese Leute? *Wann* machen sie das? Hör gut zu.

	Was	Wann
1		
2		
3		
4		
5		
6		

C5 Arbeite mit einem Partner zusammen. Du bekommst einen Terminkalender (wie Olivers Terminkalender in C2), dein Partner bekommt einen zweiten. Du mußt fragen: ‚Was machst du um zwei Uhr?', ‚Was machst du um drei Uhr?' usw.

Dein Partner fragt dann: ‚Was machst du um drei Uhr?' usw.

C6 Macht eure eigenen Dialoge! Ein Partner ruft an, der andere antwortet.

Frage und Antwort	
A Hallo, ... ! Was machst du um drei? Gehen wir in die Stadt? Gehen wir ins Kino? Gehen wir einkaufen? Gehen wir spazieren? Um drei? Geht das?	**B** Ja, das geht! Ja, das geht sehr gut! Nein, das geht nicht! Ich spiele um drei Tennis. Nein, das geht schlecht! Was machst du um vier Uhr? Bis dann. Tschüs!

D Am Schnellimbiß: Was kostet das?

Curry-Wurst*   3,20
Zigeuner-Wurst*   3,30
Curry-Spezial*   5,20
Schweine-Schnitzel   5,30
    "   Steak   5,30
    "   Rollbraten   4,-
Gulasch-Suppe   3,-
Bohnen-   "
Herings-Brötchen   2,-
Lachs-   "   2,-

Pom. frites klein   2,00
  "   "   groß   2,50
Rote Wurst*   2,70
Oberländer*   2,70
Thüringer*   3,60
Fleischküchle   2,80
Hamburger   3,20
Cheesburger   3,50
Fleischkäse*   3,50
Schweine-Spieß   4,80

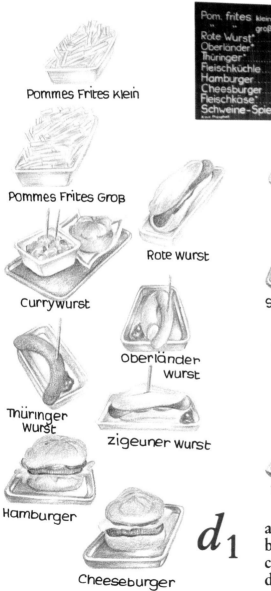

Pommes Frites klein

Pommes Frites Groß

Rote Wurst

Currywurst

Oberländer wurst

Thüringer Wurst

zigeuner wurst

Hamburger

Cheeseburger

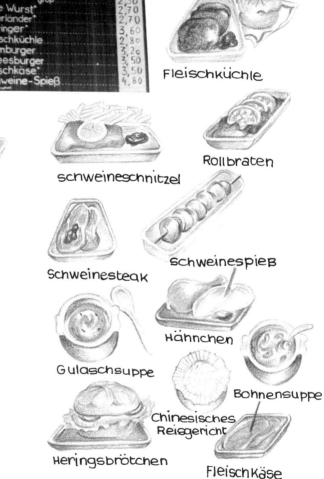

Fleischküchle

Rollbraten

schweineschnitzel

Schweinespieß

Schweinesteak

Hähnchen

Gulaschsuppe

Bohnensuppe

Chinesisches Reisgericht

Heringsbrötchen

Fleischkäse

*d*₁
a Was kostet zwei Mark?
b Was kostet drei Mark zwanzig?
c Was kostet drei Mark fünfzig?
d Was kostet zwei Mark fünfzig?
e Was kostet zwei Mark siebzig?

d_2

Sieh dir die Preisliste auf Seite 76 an – was kosten diese Sachen?

a Was kostet eine Currywurst?
b Was kostet ein Cheeseburger?
c Was kostet eine große Portion Pommes Frites?
d Was kostet ein Schnitzel?
e Was kostet eine Zigeunerwurst?

d_3

Hör gut zu! Einige Sachen stehen nicht auf der Preisliste – was kosten diese Sachen?

a eine Bratwurst
b ein Leberkäse
c eine Bockwurst
d eine Cola
e ein Bier
f ein Kaffee
g eine Frikadelle
h ein Schaschlik

d_4

Einige Leute sind am Schnellimbiß. Was bestellen sie? Hör gut zu und füll diese Tabelle aus!

Dialog	zu essen	zu trinken	Preis
1			
2			
3			
4			
5			
6			

E Am Imbißstand: Hast du Hunger?

Drei Freunde aus der Klasse 7a sind am Imbißstand. Jetzt wollen sie etwas bestellen. Sie haben alle Hunger!

Hmmm, sollen wir was essen?

Ich weiß nicht. Hast du Hunger?

Ja. Und du?

Ich, ich möchte ein Stück Kuchen und eine Tasse Kaffee.

Hier gibt es keinen Kuchen!

Also, ich nehme einen Leberkäse und eine Tasse Kaffee. Was trinkst du, Dieter?

Ich hätte gern eine Cola. Und zu essen, eine Bratwurst mit Pommes Frites.

Ich nehme eine Gulaschsuppe. Also, können wir bestellen?

Was wollt ihr?

Ich möchte eine Bratwurst mit Pommes Frites, bitte. Und eine Cola.

Die Pommes Frites mit Mayonnaise?

Ja, bitte.

Und du?

Ich möchte eine Gulaschsuppe, bitte. Und ich trinke auch eine Cola.

Und ich nehme einen Leberkäse und eine Tasse Kaffee.

Also, eine Bratwurst mit Pommes Frites, eine Gulaschsuppe und eine Cola, eine Portion Leberkäse und einen Kaffee. Ist das alles?

Ja, das wär's, danke. Was macht das, bitte?

Die Bratwurst mit Pommes Frites – vier Mark siebzig.
Die Gulaschsuppe – drei Mark, eine Cola kostet eine
Mark fünfzig, ein Leberkäse kostet drei Mark fünfzig
und der Kaffee – eine Mark zwanzig, bitte schön.

Die Freunde bekommen ihre Würste und
Getränke, essen und trinken alles.

Vielen Dank. Auf Wiedersehen!

Auf Wiedersehen!

e 1 Hör gut zu. Vier Leute bestellen etwas zu essen
und zu trinken. Sieh dir diese Preisliste an – was
kostet das zusammen?

Speisekarte

POMMES FRITES KLEIN	1.80 DM
POMMES FRITES GROSS	2.50 DM
ROTE WURST	2.50 DM
CURRYWURST	3.00 DM
CURRY SPEZIAL	4.80 DM
OBERLÄNDER WURST	2.50 DM
THÜRINGER WURST	2.70 DM
ZIGEUNERWURST	3.00 DM
HAMBURGER	3.00 DM
CHEESEBURGER	3.40 DM
FLEISCHKÜCHLE	2.50 DM
FLEISCHKÄSE	3.50 DM
ROLLBRATEN	3.80 DM
SCHWEINESCHNITZEL	5.00 DM
SCHWEINESTEAK	5.00 DM
SCHWEINESPIESS	4.50 DM
GULASCHSUPPE	2.80 DM
HÄHNCHEN CHICKYS	4.00 DM
CHINESISCHES REISGERICHT	4.00 DM

*e*₂ Freddy Freßsack hat immer Hunger. Er spricht aber immer schnell. Man kann deshalb nicht richtig verstehen, was er essen möchte. Was bestellt er? Schreib es auf !

AlsoichmöchteeinegroßePortionPommesFritesmitMayonnaiseundeineBockwurstmitSenfundeineBratwurstmitBrotundeinStückKuchenmitSahneIchmöchteaucheineGulaschsuppeundzutrinkeneinGlasColaeineTasseKaffeemitMilchundZuckerundeinBierWasmachtdaszusammenbitte?

Ich habe Hunger		
Was möchtest du?		
Ich möchte Ich nehme Ich esse Ich trinke Ich hätte gern	einen Kaffee einen Tee einen Leberkäse eine Bratwurst eine Bockwurst eine Portion Pommes Frites eine Cola eine Tasse Kaffee	ohne Senf mit Senf mit Mayonnaise ohne Mayonnaise
	ein Glas Tee ein Glas Cola	mit Milch mit Zucker mit Zitrone

*e*₃ Dein Partner arbeitet am Imbißstand. Was sagst du? Was sagt er/sie?

Hier ist das, was du essen möchtest.

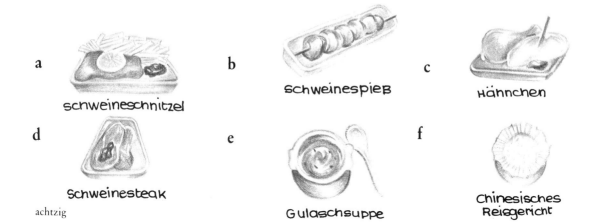

a schweineschnitzel

b schweinespieß

c Hähnchen

d Schweinesteak

e Gulaschsuppe

f Chinesisches Reisegericht

e 4 Sieh dir diese Speisekarte an! Du bist hier am Imbißstand mit einem Partner. Arbeite mit deinem Partner zusammen – einer möchte etwas zu essen und zu trinken, einer arbeitet am Imbißstand. Du mußt natürlich auch bezahlen!

Zusammenfassung *Was habe ich gelernt?*

Wenn du fertig bist, mach einen Haken! Wenn du nicht fertig bist, versuch's noch einmal.

	Prima	Gut	Nicht sehr gut	Seite
Ich kann fragen: 1 Was kostet ein/eine . . . 2 Gehen wir zusammen ins Cafe/in die Stadt? usw.				76 75
Ich kann sagen: 3 Ich möchte . . . (etwas zu essen/trinken)				80
Ich kenne: 4 Die Zahlen 1–100				67

6 *Schulzeit*

A Wie spät ist es?

Es ist sieben Uhr △

Es ist zehn Uhr ▷

◁ Es ist Mittag ☀

Es ist fünf nach zehn ▷

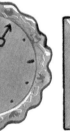
Es ist zwanzig nach elf ▽

◁ Es ist Mitternacht ☾

Es ist zehn vor eins ▷
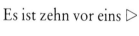

Es ist fünf nach halb drei ▷

◁ Es ist Viertel nach vier

Es ist Viertel vor zwei ▷

Es ist Viertel nach neun ▷

◁ Es ist Viertel vor elf

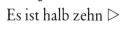
◁ Es ist halb fünf

Es ist halb zehn ▷

◁ Es ist halb zwölf

Es ist halb sieben ▷

a_1 Hör gut zu und schreib die Zeit auf !

1	2
3	4
5	6

 a_2 Hör gut zu! Wie spät ist es in diesen Meldungen aus dem Radio und Fernsehen? Füll eine Kopie dieser Tabelle aus!

a	b
c	d
e	f

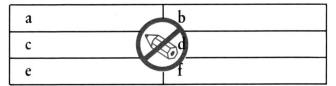

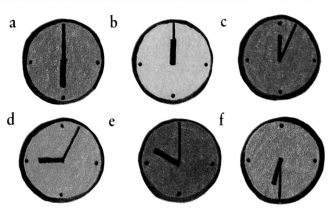

Wie spät ist es? Wann ist das?	
Es ist	zehn Uhr
Der Film beginnt **um**	fünf nach zehn zehn nach zehn Viertel nach zehn zwanzig nach zehn zehn Uhr fünfundzwanzig halb elf zehn Uhr fünfunddreißig zwanzig vor elf Viertel vor elf zehn vor elf fünf vor elf

MITTWOCH 14. Mai

1. PROGRAMM

a 3 Sieh dir diese Fernsehprogramme an.

1 Was beginnt um zehn nach acht?
2 Was beginnt um halb elf (im 3. Programm West)?
3 Was beginnt um fünf nach zehn (in RTL-plus)?
4 Was beginnt um Viertel nach acht (in Südwest 3)?
5 Wann beginnt die Tagesschau?
6 Wann beginnt *Der Denver-Clan*?
7 Wann beginnt *eff-eff*?
8 Wann beginnt der Film *Die Frau aus dem Nichts* (Südwest 3)?
9 Wann beginnt *Drei aktuell und Sport* (in Hessen 3)?

Um 19.57 Heute im Ersten

20.00 ☑ **Tagesschau**

20.10 Fußball-Länderspiel
Deutschland — Holland
Reporter:
Wilfried Luchtenberg
Übertragung aus Dortmund
■ Teamchef Franz Beckenbauer rückte mit den Nationalspielern am 5. Mai zum einwöchigen Trainingslager in die Sportschule von Malente ein, um sich anschließend in Kaiserau auf das Länderspiel gegen Jugoslawien (11. Mai) und gegen die Holländer vorzubereiten.
Wer nun tatsächlich spielen wird, das stand bei Redaktionsschluß noch nicht fest. Dazu Beckenbauer: „Nach dem schlechten Spiel in Basel gegen die Schweiz hätte ich jeden aus dem Kader werfen können.“
Man darf also gespannt sein, welche Konsequenzen der „Kaiser“ tatsächlich gezogen hat, und ob wir heute die endgültige Mannschaft für die Weltmeisterschaft in Mexiko vom 31. Mai bis 29. Juni auf dem Platz sehen werden.
Auch morgen vormittag, 10.23 Uhr
► So lebt eine Fußballer-Frau: Seite 14

22.00 Brennpunkt
Aktuelle Sendung

22.30 Tagesthemen

23.00 Kulturwelt
SDR Meister der Distanz
Annäherung an Max Frisch –
zum 75. Geburtstag
Film von Hilde Bechert und Klaus Dexel
„Blaubart“ von Max Frisch:
morgen um 23.00 Uhr

0.15 Nachtgedanken
Späte Einsichten mit H. J. Kulenkampff

Heute liest Kuli aus dem Tagebuch von André Gide (1869 — 1951), das der große französische Romancier („Die Verliese des Vatikan“) schon als 20jähriger begann.

FUSSBALL-LÄNDERSPIEL
Deutschland — Holland
20.10 Live-Übertragung aus Dortmund

Der Countdown für die WM läuft, die Niederländer (unsere Bilanz: 10 Siege, 9 Unentschieden, 6 Niederlagen) sind der Gegner im letzten Testspiel. Oben: Szene mit Karl-Heinz Rummenigge (lks.) von der EM 1980. Links: Teamchef Franz Beckenbauer wird sicher auch Hans Peter Briegel aufstellen. (110 Min.*)

Holland	Südwest 3	Hessen 3	Nord 3

Holland

1. PROGRAMM
20.00 Nachrichten. – 20.28 Parteiensendung. – 20.38 Wohltätigkeitsappell. – 20.43 Sonja op woensdag Sonja-Barend-Show. – 21.45 Achter het nieuws Aktuelles Magazin. – 23.15 Der Fahnder Deutsche Krimiserie. Heute: Ein König ohne Land. Mit Klaus Wennemann, Barbara Freier, Hans-Jürgen Schatz u. a. – 0.10 Nachrichten.

2. PROGRAMM
20.00 Nederland C Kulturspiegel. – 20.45 Viktoria im Westen Dokumentarsendung über die in den Westen geflüchtete Geigerin Viktoria Mullova mit anschließendem Violinkonzert von Peter I. Tschaikowsky. – 22.20 Parteiensendung. – 22.35 Nachrichten. – 22.50 Den Haag vandaag Parlamentsnachrichten. – 23.05 Sportstudio. – 23.35 Nachrichten f. Hörgeschädigte

Südwest 3

19.30 Schlaglicht
20.15 Bonanza (Wh.)
Für Baden-Württemberg
21.00 9 aktuell
21.15 Forum Südwest
21.00 Neues um 9
Für Rheinland-Pfalz
21.15 Fragezeichen
Für das Saarland
21.15 Der Saargau (3)
Für Gesamt Südwest 3
21.55 Bildergeschichten
„Messingstadt“
von Max Beckmann
Für Gesamt Südwest 3
22.15 Die Frau aus dem Nichts
Englischer Spielfilm (1968)
Mit Elizabeth Taylor, Mia Farrow, Robert Mitchum u. a.
0.00 Nachrichten

Hessen 3

19.20 Hessenschau
19.55 Drei aktuell
20.00 Streitfragen
Politik im Gespräch
21.00
Am Ende der Geduld
Die Quotierung für Frauen
21.30 Drei aktuell und Sport
21.50 Lindenstraße
Heimaterde (Wh.)
22.20
⬛ **Biografie — Ein Spiel**
Fernsehfilm von Rolf Hädrich nach Max Frisch
Mit Paul Hubschmid, Ingmar Zeisberg, Jon Laxdal u. a.
Regie: Rolf Hädrich (Wh.)
■ Ein Mann versucht vergeblich, die eigene Lebensgeschichte zu korrigieren.
Sendeschluß: 23.50 Uhr

Nord 3

20.00 Tagesschau
20.10 Hamburger Journal Spezial
21.00 Offerte Kulturtips
21.15 Ein jeglicher wird seinen Lohn empfangen (5)
Sechsteilige Fernsehserie von Claude Lelouch
22.15 ⬛
Der kleine Soldat
Franzöś. Spielfilm (1960)
Mit Michel Subor, Anna Karina, Henri Jacques Hust u. a.
Buch und Regie: Jean-Luc Godard (Wh.)
■ Der französische Deserteur Bruno Forestier gerät während des Algerienkrieges zwischen die Fronten von französischen Terroristen und algerischen Rebellen.
23.40 Nachrichten

3. Programm West

20.00 Tagesschau
20.15 Mittwochs in Herne
Informationen und Unterhaltung
Musik: Bluessängerin Katie Webster und die Jazz-Band Haranni Poison Mixers

Richard Hennecke gehört seit zwei Jahren als Moderator und Redakteur zum Team von „Mittwochs in ...“

21.45 eff-eff Freizeit und Fitneß
Vorgesehen: Camper's Corner. Infos für Caravanisten und Wohnmobilisten / Gartentip. Wie aus Enten Blumen wachsen / Wasserski. Seilbahn statt Motorboot / Unterwasserfotografie. Richtige Technik für Schärfe und Farbe

2. PROGRAMM

19.00 heute

19.30 P.I.T. — Peter-Illmann-Treff
Hits & News live aus der Discothek „Flip" in Kolbermoor bei Rosenheim
Mit Joan Armatrading, Limahl, The Cure, Simply Red, Patti la Belle, Durango und Hubert Kah
Regie: Michael Becker

19.30 Hits & News

Stargast bei der Live-Übertragung aus der Diskothek „Flip" in Kolbermoor bei Rosenheim ist Joan Armatrading (l.). Ihr neuer Titel heißt „Kind words". Peter Illmann (r.) hat aber auch andere interessante Künstler dabei. Allerdings tritt nur ein deutscher Interpret auf: Hubert Kah. (45 Min.)

20.15 ZDF Magazin
Moderator: Fritz Schenk
Auch morgen vormittag, 12.10 Uhr

21.00 Der Denver-Clan
Am seidenen Faden

Blake Carrington	John Forsythe
Krystle Carrington	Linda Evans
Alexis	Joan Collins
Steven	Jack Coleman
Adam	Gordon Thomson
Claudia	Pamela Bellwood
Jeff	John James
Dex Dexter	Michael Nader
Dominique Devereaux	Diahann Carroll
Lady Ashley	Ali MacGraw
Nicole Simpson	Susan Scannell
Luke Fuller	William Campbell
Gerard	William Beckley

Der Denver-Clan 21.00
Am seidenen Faden

Als die Carringtons den Sieg über Alexis feiern, bricht Dominique zusammen. Nur eine komplizierte Herzoperation kann sie retten. Luke Fuller taucht überraschend bei Steven auf, obwohl er Claudia versprochen hat, sich von ihrem Mann fernzuhalten. Dex kehrt von einer geheimen Mission mit einer Malariainfektion zurück. In seinen Fieberträumen ruft er nach Amanda... (45 Min.)

Jeff (John James) erfährt, daß seine Heirat mit Nicole (Susan Scannell) ungültig ist.

21.45 heute-journal

22.05 Treffpunkt
Jugendwerkstatt Köln-Nippes
„...und später werd' ich Meisterin"
■ Im ganzen Bundesgebiet gibt es sogenannte Jugendwerkstätten für junge Menschen, die noch keine Lehrstelle gefunden haben. Hier werden sie für eine Übergangszeit auf ihren künftigen Beruf vorbereitet. In Köln-Nippes werden sogar Ausbildungsplätze angeboten. Träger ist der Ökumenische Förderverein in Wethen, eine Gruppe engagierter Christen. In der Jugendwerkstatt lernen junge Leute Berufe wie Schreiner, Installateur oder Raumausstatter. Viele wollen bis zur Gesellenprüfung bleiben.

22.35 Milka — Schmerzliche Lust
Finnischer Spielfilm (1980)
nach Timo K. Mukka (1946 bis 1974)

Milka	Irma Huntus
Anna	Leena Suomu
Kristus-Perkele	Matti Turunen
Kantor	Eikka Lehtonen
Auno	Esa Niemelae

Regie: Rauni Mollberg (Dt. Erstauff.)

0.20 heute

22.35 Milka – Schmerzliche Lust

Konflikte eines ungewöhnlichen Paares

Eine Beziehung mit Folgen: Kristus-Perkele (Matti Turunen) mit Milka (Irma Huntus).

Die vaterlose Milka wächst unter der Obhut ihrer Mutter auf. Kristus-Perkele, der für die alleinstehende Witwe alle schwierigen häuslichen Arbeiten erledigt, wird von dem kleinen Mädchen abgöttisch geliebt. Doch mit der Zeit wandelt sich die Kinderliebe in heftiges Begehren. Milka verführt Kristus-Perkele und wird schwanger. (105 Min.)

22.30 Taxi Driver
Amerikanischer Spielfilm (1975)

Travis Bickl	Robert de Niro
Iris	Jodie Foster
Sport	Harvey Keitel
Wizard	Peter Boyle
Charles Palantine	Leonard Harris
Betsy	Cybill Shepherd

Drehbuch: Paul Schrade
Regie: Martin Scorsese (Wh.)

■ Travis Bickle (Robert de Niro, Foto), ein melancholischer, junger Vietnam-Veteran, chauffiert nachts die New Yorker Unterwelter. Seine Romanze mit einem netten Mädchen endet, noch ehe sie recht begonnen hat. Travis ist verstört, legt sich ein beachtliches Arsenal von Schußwaffen zu – und kennt nur noch Haß und Kampf. (110 Min.)

0.20 Letzte Nachrichten

RTL-plus

19.30 Knight Rider
Shatner's Komplott

20.15 RTL-Spiel

20.20 Filmvorschau

20.30 Das Geheimnis des blauen Zimmers
Deutscher Spielfilm (1932)
Mit Wolfgang Staudte, Oskar Sima, Paul Henckels u. a.
Regie: Erich Engels

21.40 RTL-Spiel

21.45 Wer bin ich?
Ein Quiz mit Prominenten um Prominente aus Vergangenheit und Gegenwart

22.05 Porträt einer Legende: Stevie Wonder

22.32 Zeichentrick für Erwachsene Schmutz

22.35 Wetter / Horoskop / Betthupferl

Belgien

NIEDERLÄNDISCH
19.45 Nachrichten. – 20.10 Namen noemen. – 20.55 Kijk uit! Verkehrserziehung. – 21.00 Wie schrift die blijft Büchermagazin. – 21.40 Uitzending door der den Kathol. Televisie-en Radio-Omroep. – 22.30 Nachr. / Coda

FRANZÖSISCH
19.30 Nachr. – 20.00 Bizness, Bizness. – 21.00 Mission Casse-cou. – 21.45 Coup de film / Cargo de mit. – 22.30 Nachr. – 22.55 Le cœur et l'esprit

Luxemburg

19.25 Unsere kleine Farm Serie. – 20.00 Highway to heaven A match made in heaven. – 21.00 Zazie dans le métro Film von L. Malle. Mit Cathérine Demongeot, Philippe Noiret, Hubert Deschamps. – 22.30 Moteurs Automagazin. – 23.00 Nachr.

*a*4   Hier ist die Lufthansa Zeitzonentabelle.

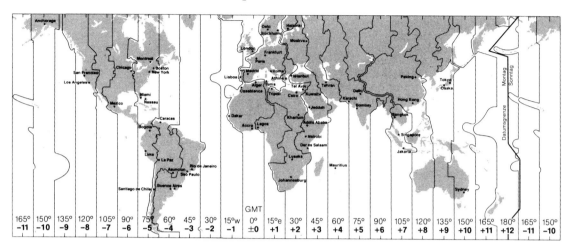

Es ist zwölf Uhr in Frankfurt.
Wie spät ist es in . . .

1 . . . Hong Kong?
2 . . . Santiago de Chile?
3 . . . Bangkok?
4 . . . Madrid?
5 . . . Nairobi?
6 . . . Los Angeles?

Schau auf deine Uhr! Wie spät
ist es jetzt in . . .

7 . . . Rom?
8 . . . Chicago?
9 . . . Jakarta?
10 . . . Sydney?
11 . . . Athen?
12 . . . Anchorage?

*a*5   Uhrwald

Diana ist heute in Frankfurt. Ihre Uhr
zeigt 12 Uhr. Wo sind ihre Freunde?
Benutze den ‚Uhrwald', um zu helfen.

1 Ich heiße Annie. Ich bin in . . . . . Es
ist sechs Uhr.
2 Ich heiße Robert. Ich bin in . . . . . Es
ist drei Uhr.
3 Ich heiße Alexandre. Ich bin in
. . . . . . Es ist zwei Uhr mittags.
4 Ich heiße Tam-Tam. Ich bin in
. . . . . . Es ist sieben Uhr abends.

B Was machst du morgens?

I

2

3

Es ist sechs Uhr bei Sonja, und der Wecker klingelt. Es ist Montag, und sie muß in die Schule gehen. Ach nein! Hier sagt sie, was sie macht:

‚Ich wache um sechs Uhr fünfzehn auf, und ich stehe auf.[1] Ich wasche mich, ziehe mich an, und ich esse schnell einen Toast und[2] trinke eine Tasse Tee. Ich putze mir die Zähne[3], und ich gehe um sieben Uhr aus dem Haus – ich fahre mit dem Bus zur Schule. Ich komme um zwanzig vor acht in der Schule an, und die erste Stunde beginnt um Viertel vor acht.[4] Meistens bin ich dann noch halb im Schlaf – das ist immer furchtbar!'

4

*b*₁

Hör gut zu! Kannst du die Lücken ausfüllen?

a Klaus: Ich stehe um .... auf, und ich ziehe mich an. Ich esse eine Scheibe Toast und trinke eine Tasse Tee. Ich verlasse das Haus um .... und fahre mit dem Bus zur Schule.

b Gabi: Ich wache um .... auf, und ich putze mir die Zähne. Ich esse und trinke was um .... und verlasse das Haus um .... Um .... beginnt die Schule.

c Thomas: Ich stehe um .... auf, ziehe mich an und putze mir die Zähne. Ich frühstücke um .... und gehe um .... aus dem Haus. Der Bus kommt um .... , und die erste Stunde beginnt um ....

*b*₂ Wie kommst du zur Schule oder zur Arbeit?

mit dem Bus

mit dem Zug

mit der U-Bahn

mit dem Auto

mit dem Fahrrad

mit der Straßenbahn

mit dem Taxi

zu Fuß

*b*₃ Hör gut zu. Wie kommen diese Leute zur Schule oder zur Arbeit? Füll die Tabelle aus:

Name	Transportmittel
1 Gerd	
2 Dirk	
3 Siggi	
4 Monika	
5 Silke	
6 Herr Baumgartner	
7 Frau Bauer	
8 Anja	

Wie fahren sie? Schreib ganze Sätze!
Zum Beispiel: Gerd fährt mit . . . .
　　　　　　　Dirk fährt . . . . . .

*b*4   Frag die anderen in deiner Klasse, wie sie zur Schule kommen. Du brauchst eine Kopie dieser Tabelle.

Wie kommst du zur Schule?	
mit dem Auto mit dem Rad mit dem Taxi mit dem Bus mit dem Zug mit der Straßenbahn zu Fuß	

Schreib die Ergebnisse auf!
Zum Beispiel: Sechs Schüler fahren mit dem Bus zur Schule, ein Schüler fährt mit . . .

*b*5   Frage und Antwort. Verbinde jede Frage mit der richtigen Antwort! Schreib das Gespräch auf.

Frage

Wann stehst du auf?
Wann wachst du auf?
Wann putzt du dir die Zähne?
Wann verläßt du das Haus?
Was machst du dann?
Wie kommst du zur Schule?
Wann kommst du in der Schule an?

Wann beginnt die erste Stunde?

Antwort

Ich wache um sechs Uhr auf.
Ich fahre mit dem Bus zur Schule.
Ich verlasse das Haus um sieben Uhr.
Ich komme um zehn vor acht in der Schule an.
Die erste Stunde beginnt um 8 Uhr.
Ich esse einen Toast und trinke eine Tasse Kaffee.
Ich stehe um Viertel nach sechs auf, ich wasche mich, und ich ziehe mich an.
Ich putze mir die Zähne um halb sieben.

*b*₆ Hör gut zu! Wann stehen die anderen auf?
Wann gehen sie aus dem Haus? Wie kommen sie
zur Schule? Füll eine Kopie dieser Tabelle aus!

	Oliver	Sabine	Sonja	Florian
Wann wachst du auf? Wann stehst du auf? ● an Schultagen ● am Sonntag Was machst du dann? Wann gehst du aus dem Haus? Wie kommst du zur Schule?				

*b*₇ Frag jetzt deinen Partner (deine Partnerin)!
Wann steht er/sie auf? Wann geht er/sie aus
dem Haus? Wie kommt er/sie zur Schule?

C Was lernst du in der Schule?

Englisch · Mathe · Französisch · Physik · Deutsch · Darstellendes Spiel · Chemie · Biologie · Erdkunde · Geschichte · Musik · Religion · Italienisch · Informatik · Spanisch · Kochen · Ernährung · Hauswirtschaftslehre · Werken · Umfrage · Sozialkunde · Kunst · Sport

C_1 Was macht Tanja heute? Sieh dir diese Fotos an, und hör gut zu, was sie sagt. Schreib auf, welches Foto zu welchem Symbol paßt!

C2

Kannst du hier acht Fächer finden? Schreib sie auf!

Unsere Schulfächer...

```
G E S C H I C H T E
R A U I A U E I O N
B I O L O G I E M G
O W S E U A U O A L
U A P U K U N S T I
E U O I E A I O H S
T E R D K U N D E C
O A T D E U T S C H
```

C3

Hör gut zu! Hier sagt Hartmut, welche Fächer er hat. Kannst du sagen, *wann* er diese Fächer hat?

a Deutsch ist um ....
b Englisch ist um ....
c Physik ist um ....
d Erdkunde ist um ....
e Biologie ist um ....

Kannst du das gleiche für Olaf und Abdi machen?

	Olaf	Abdi
Deutsch Englisch Physik Erdkunde Biologie		

C 4

Was braucht Florian heute?

Florian packt seine Schultasche – er hat Mathe, Englisch, Erdkunde, Physik, Kunst und Sport. Was braucht er?

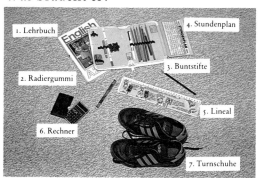

1. Lehrbuch
2. Radiergummi
3. Buntstifte
4. Stundenplan
5. Lineal
6. Rechner
7. Turnschuhe

Was brauchst *du* heute? Schreib eine Liste.

In der siebten Klasse lernen alle Schüler diese Fächer: Deutsch, Englisch, Erdkunde, Geschichte, Mathe, Biologie, Physik, Religion, Musik, Kunst und Sport. Oliver und Sabine lernen auch Französisch, und Florian lernt Latein. Hier ist Sabines Stundenplan:

Mein Stundenplan

So ein Tag, so wunderschön wie heute...

Uhrzeit	Montag	Dienstag	Mittwoch	Donnerstag	Freitag	Samstag
7⁴⁵–8¹⁰	Mathe	Deutsch	Physik	Chemie	Mathe	Englisch
8¹⁵–9²⁰	Deutsch	Philo	Mathe	Bio	Deutsch	Latein
9⁴⁰–10²⁵	Englisch	Latein	Religion	Musik	Physik	Sozialkunde
10³⁰–11¹⁰	Geographie	Bio	Englisch	Geschichte	Geographie	Französisch
11²⁵–12²⁰	Geschichte	Chemie	Religion	Englisch	Kunst	
12⁴⁵–13¹⁰	Französisch	Sozialkunde	Musik	Sport	Französisch	
15⁰⁰–15⁴⁵	Sport					

Strich für Strich ein **STAEDTLER**

C5 Hier ist Ankes Stundenplan. Sie ist in der Klasse 9b.

Stundenplan für Anke Gerloff

Zeit	MO	DI	MI	DO	FR	SA
1	Mathe	Französisch	Französisch	Chemie	Geschichte	
2	Englisch	Englisch	"	Physik	Informatik	
3	Erdkunde	Werken	Mathe	Kunst	Hauswirtschaft	
4	"	"	Geschichte	Englisch	"	
5	Sport	Kunst	Sport	"	Mathe	
6	Biologie	Physik	Musik	Französisch	Geschichte	
7	Chemie	Informatik	Biologie	Religion	Musik	
8						

Tessloff Verlag

Sind diese Sätze falsch oder richtig? Verbessere die falschen Sätze.

1 Anke hat Englisch am Montag in der ersten Stunde.
2 Sie hat Biologie am Freitag in der vierten Stunde.
3 Sie hat Englisch am Dienstag in der zweiten Stunde.
4 Sie hat Deutsch am Donnerstag in der zweiten Stunde.
5 Sie hat Mathe am Mittwoch in der ersten Stunde.
6 Sie hat Französisch am Montag in der vierten Stunde.
7 Sie hat Musik am Freitag in der siebten Stunde.
8 Sie hat Erdkunde am Dienstag in der fünften Stunde.

C 6 Du hast nur die Hälfte des Stundenplans von deinem deutschen Brieffreund. Was hat er aber in den anderen Stunden? Hör gut zu und füll den Rest von dem Stundenplan aus.

Stundenplan

Zeit	Montag	Dienstag	Mittwoch	Donnerstag	Freitag	Samstag
$7.^{45} - 8^{30}$	Englisch	Religion		Mathe	Physik	Musik
$8^{35} - 9^{20}$	Geschichte		Erdkunde	Deutsch		
$9^{40} - 10^{25}$		Kunst	Bio		Gemeinschafts-kunde	
$10^{35} - 11^{20}$						Chemie
$12^{00} - 12^{45}$	Französisch					
$12^{50} - 13^{35}$	Philosophie	Sport				

© Copyright bei Beltz & Gelberg. Illustrationen: Erwin Moser.

Osiandersche BUCHHANDLUNG TÜBINGEN–REUTLINGEN–BÖBLINGEN

C 7 Du bekommst deinen Stundenplan, dein(e) Partner(in) hat seinen/ihren Stundenplan. Was hat er/sie? Frag ihn/sie und füll den Stundenplan aus! Was ist anders?

Hier ist Gerharts Traumstundenplan. Wie sieht dein Traumstundenplan aus?

Was hast du heute in der Schule?				
Was hast du		in der	ersten zweiten dritten vierten fünften	Stunde	am Montag? am Dienstag? am Mittwoch? am Donnerstag? am Freitag?
Ich habe	Mathe Deutsch Englisch Musik	in der	ersten zweiten dritten vierten fünften	Stunde	am Montag am Dienstag am Mittwoch am Donnerstag am Freitag

Andreae- Gymnasium

C8 Jetzt ein bißchen über die deutsche Schule. Sonja sagt uns etwas über das Andreae-Gymnasium in Herrenberg. Diese Aussagen sind alle richtig. In welcher Reihenfolge hörst du sie aber? Hör gut zu!

1 Ich habe meistens sechs Stunden am Tag.
2 Die Schule beginnt um sieben Uhr vierzig.
3 Die Stunden sind fünfundvierzig Minuten lang.
4 Die Schule endet um ein Uhr.
5 Es gibt zweiunddreißig Schüler (Jungen und Mädchen) in meiner Klasse.
6 Ich habe auch am Samstag (aber nur alle zwei Wochen) Schule.
7 Es gibt meistens am Nachmittag keine Schule.
8 Die große Pause ist zwanzig Minuten lang und beginnt um zehn Uhr zehn.

D Wie findest du die Fächer?

Das ist so schwer!

Werken ist sehr gut!

Kein Problem! Mathe ist sehr einfach!

Das ist sehr interessant! Ich finde Deutsch prima – einfach klasse!

Meine Güte! Das ist furchtbar – so langweilig!

d₁ Wie findest du Englisch? Wie findest du Kunst? Füll diese Fragebogen aus und frag dann deinen Partner/deine Partnerin.

Wie findest du (Mathe)?					
Ich finde (Mathe)			prima (√√√) sehr gut (√√) gut (√) schlecht (×) furchtbar (××)		
Wie findest du . . . ?	**Du**	**Dein Partner**	**Wie findest du . . . ?**	**Du**	**Dein Partner**
1. Deutsch 2. Spanisch 3. Französisch 4. Mathe 5. Geschichte 6. Erdkunde 7. Religion 8. Biologie 9. Physik 10. Chemie			11. Sport 12. Werken 13. Informatik 14. Kunst 15. Musik 16. Italienisch 17. Latein 18. Darstellendes Spiel 19. Hauswirtschaft		

d_2 Deutsche Schüler sprechen über ihre Schulfächer. Hör gut zu – wie finden sie Englisch? Und Mathe?

	einfach	schwer	interessant	langweilig	Lieblingsfach
1					
2					
3					
4					
5					
6					

d_3 Frag jetzt einen Partner, wie er/sie die Fächer findet.

d_4 Frag jetzt die anderen in der Klasse. Was finden sie einfach, schwer, interessant usw.? Was ist ihr Lieblingsfach? Du kannst eine Kopie dieser Tabelle benutzen.

Was findest du . . . . . . ?			Was ist dein Lieblingsfach?		
	einfach	schwer	interessant	langweilig	Lieblingsfach
1. Name					
2. Name					
3. Name					
4. Name					
5. Name					
6. Name					

Schreib die Ergebnisse auf!
Zum Beispiel: Jimmy und Andrea finden Sport sehr interessant, aber Andrew findet Sport ziemlich langweilig.

*d*5 Spiel! Du brauchst einen Würfel.
Du spielst mit einem Partner oder mit einer
Gruppe zusammen. Der erste auf dem 48. Feld
hat gewonnen.

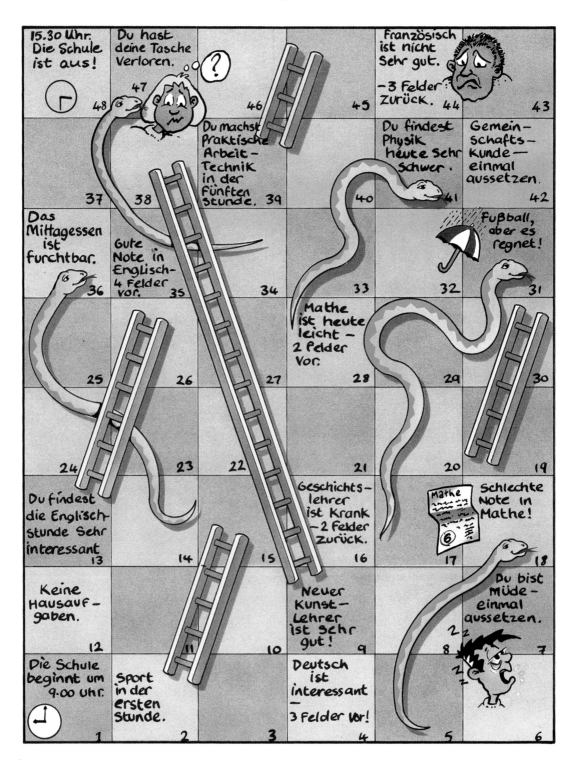

E Fragen und Antworten

Fragen stellen			
Frage			**Antwort**
Heißt du	John? Donna?		Ja oder Nein
Hast du	Geschwister? Haustiere? Deutsch? Mathe?		
Spielst du	Fußball? Handball? Klavier?		
Gehst du	ins Kino? mit dem Hund spazieren?		
Sammelst du	Briefmarken? Postkarten?		
Schwimmst du? Reitest du?			

Frage			**Antwort**	
Wann	spielst du	Handball?	Um drei Uhr	
	hast du	darstellendes Spiel/Mathe?	Am Montag	
	schwimmst du?		Im September	
Wo	spielst du	Klavier?	Bei mir zu Hause	
	hast du	Deutsch?	In der Schule	
	gehst du	einkaufen?	In Herrenberg	
Wie viele	Haustiere Geschwister	hast du?	Drei/vierzehn/sechsundzwanzig	
Was	machst du	in deiner Freizeit? in der Schule?	Ich ... + Verb	
Wie	heißt du?		Ich	heiße ...
	findest du ...?			finde ... interessant/ langweilig
	bist du?			bin sportlich/faul/schlank

*e*₁   Kannst du Fragen bilden?

Was? Wo? Wann? Wie?	
Wann . . .	. . . machst du in der vierten Stunde am Freitag?
Wo . . .	. . . hast du in der Woche?
Wie viele Stunden Deutsch . . .	. . . findest du Englisch?
Wo . . .	. . . hast du in der ersten Stunde am Montag?
Was . . .	. . . hast du heute in der zweiten Stunde?
Wann . . .	. . . hast du Mathe?
Was . . .	. . . findest du Deutsch?
Wie viele Stunden . . .	. . . spielst du Fußball?
Wie . . .	. . . wohnst du?
Was . . .	. . . hast du am Tag?
Wie . . .	. . . hast du Sport?

*e*₂   Hier sind die Antworten. Wie sind aber die Fragen?

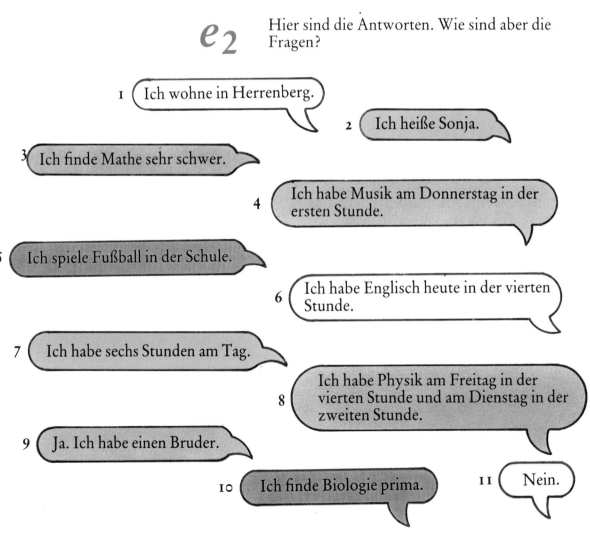

1 Ich wohne in Herrenberg.

2 Ich heiße Sonja.

3 Ich finde Mathe sehr schwer.

4 Ich habe Musik am Donnerstag in der ersten Stunde.

5 Ich spiele Fußball in der Schule.

6 Ich habe Englisch heute in der vierten Stunde.

7 Ich habe sechs Stunden am Tag.

8 Ich habe Physik am Freitag in der vierten Stunde und am Dienstag in der zweiten Stunde.

9 Ja. Ich habe einen Bruder.

10 Ich finde Biologie prima.

11 Nein.

F Meine Schule

‚Hallo! Mein Name ist Kirstin, und ich wohne in Hamburg. Ich gehe auf eine Gesamtschule – sie ist sehr groß und modern. Es gibt 2000 Schüler und 130 Lehrer. Ich bin in Klasse 10b.'

‚Guten Tag. Ich heiße Kalli, und ich gehe auf eine Realschule in Stadthagen – das liegt in Norddeutschland in der Nähe von Hannover. Es gibt dort 700 Schüler und 40 Lehrer. Ich finde meine Schule sehr gut – sie ist nicht zu groß und wurde 1960 gebaut. Ich bin in der Klasse 8c.'

‚Ich heiße Lisa und bin in Klasse 6a. Ich bin 12 Jahre alt und gehe auf ein Gymnasium in Tübingen. Das liegt in Süddeutschland. Meine Schule ist nicht schlecht, aber nicht sehr modern. Es gibt 800 Schüler und 50 Lehrer an meiner Schule.'

*f*1

Hartmut spricht über seine Schule:

‚Meine Schule ist ein Gymnasium. Es wurde 1975 gebaut und heißt Andreae-Gymnasium. Es liegt in Herrenberg, das ist in der Nähe von Stuttgart in Süddeutschland.

‚Wir haben achtzig Lehrer und Lehrerinnen in der Schule und 1000 Schüler und Schülerinnen. Wie ihr schon wißt, bin ich dreizehn Jahre alt, und ich bin in der Klasse 7a. Es gibt zweiunddreißig Schüler, Jungen und Mädchen, in meiner Klasse.

‚Das ist unser Klassenlehrer, Herr Marschall. Er ist sehr nett und unterrichtet Englisch und Erdkunde.'

Hartmut findet Kunst, Geschichte und Erdkunde interessant, aber sein Lieblingsfach ist Englisch. Er hat jetzt eine Brieffreundin in Irland, und er schreibt ihr im Moment einen Brief. Er liest den Brief vor:

Liebe Mary!   Herrenberg, den 4. April

Ich habe Deinen Namen und Deine Adresse von meinem Lehrer bekommen, und ich möchte Dir also schreiben. Ich heiße Hartmut, und ich bin 13 Jahre alt. Ich habe am 14. Oktober Geburtstag. Ich habe einen Bruder und eine Schwester. Mein Bruder heißt Dirk, und meine Schwester heißt Marianne – sie ist jünger als ich (8), und Dirk ist 16. Ich habe viele Haustiere – wir haben eine Katze, zwei Hunde, einen Hamster usw. Ich wohne hier in Unterjesingen mit meinen Eltern, und ich gehe in Herrenberg zur Schule. Wie findest Du die Schule? Meine Schule ist nicht schlecht, aber ich hasse Mathe! Kunst und Englisch finde ich aber sehr gut!

Ich habe viele Hobbys – ich spiele sehr gern Handball, und ich schwimme gern. Ich lese auch, und ich gehe gern spazieren. Was sind Deine Hobbys?

Ich schicke Dir ein Foto von mir und von meiner Familie – darauf sind mein Vater, meine Mutter (ganz links), mein Bruder, meine Schwester Marianne, meine Katze und ein Hund. Ich habe auch meine Stimme auf Kassette aufgenommen. Schreib mir bitte bald – ich freue mich auf Deinen Brief. Hast Du viele Haustiere, hast Du Geschwister? Wie alt sind sie, wie heißen sie?

Tschüs, schreib bald

Dein Hartmut

*f*2   Falsch oder richtig? Verbessere die falschen Sätze!

1 Hartmut ist vierzehn.
2 Er hat keine Geschwister.
3 Es gibt zweiunddreißig Schüler in der Klasse 7a.
4 Hartmuts Schule ist eine Realschule in Herrenberg.
5 Hartmut findet Geschichte langweilig.
6 Er ist in der Klasse 6c.
7 Der Klassenlehrer heißt Herr Marschall.
8 Hartmuts Lieblingsfach ist Mathe.

*f*3 Ein Spiel für Briefe schreiben! Siehe Seite 106 für den Hinweis.

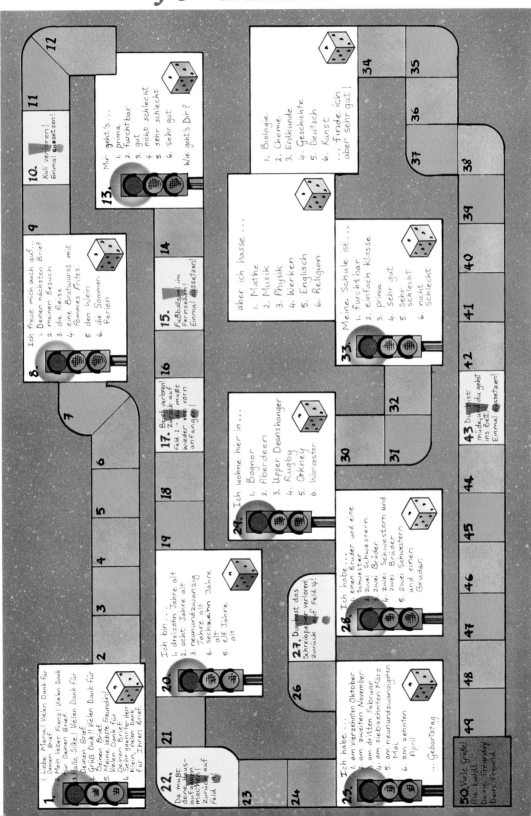

Spiel!

Spiel zusammen mit ein paar Freunden das Spiel auf der vorigen Seite (105). Du brauchst einen Würfel. Wer dran ist, muß würfeln. Der erste, der einen Brief geschrieben hat, hat gewonnen. Jedesmal, daß du bei einem ‚Ampelfeld‘ stehst, mußt du auch würfeln und alles aufschreiben, was bei dieser Nummer steht.

*f*4   Wie heißt deine Schule? Wie viele Lehrer habt ihr in der Schule? In welcher Klasse bist du? Kannst du etwas über deine Schule schreiben, so wie Hartmut es gemacht hat?

*f*5   Kannst du eine Antwort auf Hartmuts Brief schreiben? Du mußt all seine Fragen beantworten. Das Spiel auf Seite 105 wird dir helfen.

Zusammenfassung   *Was habe ich gelernt?*

Wenn du fertig bist, mach einen Haken! Wenn du nicht fertig bist, versuch's noch einmal.

	Prima	Gut	Nicht sehr gut	Seite
Ich kann fragen:				
1 Wie spät ist es?				82
2 Was machst du morgens?				87
3 Was lernst du in der Schule?				91
Ich kann sagen:				
4 Es ist vier Uhr usw.				83
5 Ich stehe auf, ich putze mir die Zähne usw.				87
6 Ich habe . . . in der ersten Stunde am Montag usw.				97
7 Ich finde . . . interessant, langweilig usw.				98
8 Ich gehe auf eine Gesamtschule usw.				103

7 Ferienpläne

A Ich freue mich auf Deinen Besuch!

 a 1 Herr Marschall ruft aus Deutschland an. Er organisiert einen Austausch und möchte wissen, wann die Ferien in England sind. Hör gut zu – kannst du die Ferientermine eintragen?

Januar	1	2	3	4	5	6	7	8	9	10	11	12	13	14	15	16	17	18	19	20	21	22	23	24	25	26	27	28	29	30	31
Februar	1	2	3	4	5	6	7	8	9	10	11	12	13	14	15	16	17	18	19	20	21	22	23	24	25	26	27	28			
März	1	2	3	4	5	6	7	8	9	10	11	12	13	14	15	16	17	18	19	20	21	22	23	24	25	26	27	28	29	30	31
April	1	2	3	4	5	6	7	8	9	10	11	12	13	14	15	16	17	18	19	20	21	22	23	24	25	26	27	28	29	30	
Mai	1	2	3	4	5	6	7	8	9	10	11	12	13	14	15	16	17	18	19	20	21	22	23	24	25	26	27	28	29	30	31
Juni	1	2	3	4	5	6	7	8	9	10	11	12	13	14	15	16	17	18	19	20	21	22	23	24	25	26	27	28	29	30	
Juli	1	2	3	4	5	6	7	8	9	10	11	12	13	14	15	16	17	18	19	20	21	22	23	24	25	26	27	28	29	30	31
August	1	2	3	4	5	6	7	8	9	10	11	12	13	14	15	16	17	18	19	20	21	22	23	24	25	26	27	28	29	30	31
September	1	2	3	4	5	6	7	8	9	10	11	12	13	14	15	16	17	18	19	20	21	22	23	24	25	26	27	28	29	30	
Oktober	1	2	3	4	5	6	7	8	9	10	11	12	13	14	15	16	17	18	19	20	21	22	23	24	25	26	27	28	29	30	31
November	1	2	3	4	5	6	7	8	9	10	11	12	13	14	15	16	17	18	19	20	21	22	23	24	25	26	27	28	29	30	
Dezember	1	2	3	4	5	6	7	8	9	10	11	12	13	14	15	16	17	18	19	20	21	22	23	24	25	26	27	28	29	30	31

Falsch oder richtig?

1 Weihnachten (der erste Weihnachtstag) ist am 25. Dezember.
2 Ostersonntag ist am 11. März.
3 Ostermontag ist am 20. April.
4 Aschermittwoch ist am 14. Februar.
5 Muttertag ist am 10. Mai.
6 Rosenmontag ist am 3. Februar.
7 Silvester ist am 31. Dezember.
8 Heilige Drei Könige ist am 17. Januar.

Januar 21 AT

Mi	1	Neujahr	1. W.
Do	2		
Fr	3		
Sa	4		
So	5		
Mo	6	Hl. Drei Könige	2. W.
Di	7		
Mi	8		
Do	9		
Fr	10		
Sa	11		
So	12		
Mo	13		3. W.
Di	14		
Mi	15		
Do	16		
Fr	17		
Sa	18		
So	19		
Mo	20		4. W.
Di	21		
Mi	22		
Do	23		
Fr	24		
Sa	25		
So	26		
Mo	27		5. W.
Di	28		
Mi	29		
Do	30		
Fr	31		

Februar 20 AT

Sa	1		
So	2		
Mo	3		6. W.
Di	4		
Mi	5		
Do	6		
Fr	7		
Sa	8		
So	9		
Mo	10		7. W.
Di	11		
Mi	12		
Do	13		
Fr	14		
Sa	15		
So	16		
Mo	17		8. W.
Di	18		
Mi	19		
Do	20		
Fr	21		
Sa	22		
So	23		
Mo	24		9. W.
Di	25		
Mi	26		
Do	27		
Fr	28		
Sa	29		
		AT = Arbeitstage	

März 22 AT

So	1		
Mo	2	Rosenmontag	10. W.
Di	3	Fastnacht	
Mi	4	Aschermittwoch	
Do	5		
Fr	6		
Sa	7		
So	8		
Mo	9		11. W.
Di	10		
Mi	11		
Do	12		
Fr	13		
Sa	14		
So	15		
Mo	16		12. W.
Di	17		
Mi	18		
Do	19		
Fr	20	Frühlingsanfang	
Sa	21		
So	22		
Mo	23		13. W.
Di	24		
Mi	25		
Do	26		
Fr	27		
Sa	28		
So	29		
Mo	30		14. W.
Di	31		

April 20 AT

Mi	1		
Do	2		
Fr	3		
Sa	4		
So	5		
Mo	6		15. W.
Di	7		
Mi	8		
Do	9		
Fr	10		
Sa	11		
So	12	Palmsonntag	
Mo	13		16. W.
Di	14		
Mi	15		
Do	16	Gründonnerstag	
Fr	17	Karfreitag	
Sa	18		
So	19	Ostersonntag	
Mo	20	Ostermontag	17. W.
Di	21		
Mi	22		
Do	23		
Fr	24		
Sa	25		
So	26		
Mo	27		18. W.
Di	28		
Mi	29		
Do	30		

Mai 19 AT

Fr	1	Maifeiertag	
Sa	2		
So	3		
Mo	4		19. W.
Di	5		
Mi	6		
Do	7		
Fr	8		
Sa	9		
So	10	Muttertag	
Mo	11		20. W.
Di	12		
Mi	13		
Do	14		
Fr	15		
Sa	16		
So	17		
Mo	18		21. W.
Di	19		
Mi	20		
Do	21		
Fr	22		
Sa	23		
So	24		
Mo	25	•	22. W.
Di	26		
Mi	27		
Do	28	Christi Himmelfahrt	
Fr	29		
Sa	30		
So	31		

Juni 20 AT

Mo	1		23. W.
Di	2		
Mi	3		
Do	4		
Fr	5		
Sa	6		
So	7	Pfingstsonntag	
Mo	8	Pfingstmontag	24. W.
Di	9		
Mi	10		
Do	11		
Fr	12		
Sa	13		
So	14		
Mo	15		25. W.
Di	16		
Mi	17		
Do	18	Fronleichnam	
Fr	19		
Sa	20		
So	21	Sommeranfang	
Mo	22		26. W.
Di	23		
Mi	24		
Do	25		
Fr	26		
Sa	27	Siebenschläfer	
So	28		
Mo	29		27. W.
Di	30		

Juli 23 AT

Mi	1		
Do	2		
Fr	3		
Sa	4		
So	5		
Mo	6		28. W.
Di	7		
Mi	8		
Do	9		
Fr	10		
Sa	11		
So	12		
Mo	13		29. W.
Di	14		
Mi	15		
Do	16		
Fr	17		
Sa	18		
So	19		
Mo	20		30. W.
Di	21		
Mi	22		
Do	23		
Fr	24		
Sa	25		
So	26		
Mo	27		31. W.
Di	28		
Mi	29		
Do	30		
Fr	31		

August 21 AT

Sa	1		
So	2		
Mo	3		32. W.
Di	4		
Mi	5		
Do	6		
Fr	7		
Sa	8		
So	9		
Mo	10		33. W.
Di	11		
Mi	12		
Do	13		
Fr	14		
Sa	15		
So	16		
Mo	17		34. W.
Di	18		
Mi	19		
Do	20		
Fr	21		
Sa	22		
So	23		
Mo	24		35. W.
Di	25		
Do	26		
Fr	28		
So	30		
Mo	31		36. W

September 22 AT

Di	1		
Mi	2		
Do	3		
Fr	4		
Sa	5		
So	6		
Mo	7		37. W.
Di	8		
Mi	9		
Do	10		
Fr	11		
Sa	12		
So	13		
Mo	14		38. W.
Di	15		
Mi	16		
Do	17		
Fr	18		
Sa	19		
So	20		
Mo	21		39. W.
Di	22	Herbstanfang	
Mi	23		
Do	24		
Fr	25		
Sa	26		
So	27		
Mo	28		40. W.
Di	29		
Mi	30		

Oktober 22 AT

Do	1		
Fr	2		
Sa	3	Tag d. deut. Einheit	
So	4	Erntedankfest	
Mo	5		41. W.
Di	6		
Mi	7		
Do	8		
Fr	9		
Sa	10		
So	11		
Mo	12		42. W.
Di	13		
Mi	14		
Do	15		
Fr	16		
Sa	17		
So	18		
Mo	19		43. W.
Di	20		
Mi	21		
Do	22		
Fr	23		
Sa	24		
So	25		
Mo	26		44. W.
Di	27		
Mi	28		
Do	29		
Fr	30		
Sa	31		

November 20 AT

So	1	Allerheiligen	
Mo	2		45. W.
Di	3		
Mi	4		
Do	5		
Fr	6		
Sa	7		
So	8		
Mo	9		46. W.
Di	10		
Mi	11		
Do	12		
Fr	13		
Sa	14		
So	15	Volkstrauertag	
Mo	16		47. W.
Di	17		
Mi	18	Buß- und Bettag	
Do	19		
Fr	20		
Sa	21		
So	22	Totensonntag	
Mo	23		48. W.
Di	24		
Mi	25		
Do	26		
Fr	27		
Sa	28		
So	29	1. Advent	
Mo	30		49. W.

Dezember 22 AT

Di	1		
Mi	2		
Do	3		
Fr	4		
Sa	5		
So	6	2. Advent, Nikolaus	
Mo	7		50. W.
Di	8		
Mi	9		
Do	10		
Fr	11		
Sa	12		
So	13	3. Advent	
Mo	14		51. W.
Di	15		
Mi	16		
Do	17		
Fr	18		
Sa	19		
So	20	4. Advent	
Mo	21	Winteranfang	52. W.
Di	22		
Mi	23		
Do	24	Heiliger Abend	
Fr	25	1. Weihnachtstag	
Sa	26	2. Weihnachtstag	
So	27		
Mo	28		
Di	29		
Mi	30		
Do	31	Silvester	

*a*3 In allen Bundesländern sind die Ferientermine verschieden. Hier sind die Termine für einige Bundesländer:

Land	Herbst '91	Weihnachten '91/92	Ostern '92 Frühjahr '92	Pfingsten '92	Sommer '92
Baden-Württemberg					
Bayern	28.10.–02.11.	23.12.–07.01.	13.04.–25.04.	09.06.–20.06.	30.07.–14.09.
Berlin	26.10.–02.11.	23.12.–06.01.	04.04.–25.04.	06.06.–09.06.	25.06.–08.08.
Brandenburg	21.10.–25.10.	23.12.–03.01.	10.02.–21.02.* 14.04.–16.04.	05.06.–09.06.	29.06.–07.08.
Bremen	14.10.–19.10.	23.12.–06.01.	01.04.–21.04.	–	25.06.–08.08.
Hamburg	07.10.–19.10.	23.12.–04.01.	09.03.–21.03. 16.04.–21.04.	29.05.	18.06.–01.08.
Hessen	07.10.–18.10.	23.12.–11.01.	03.04.–22.04.	–	22.06.–31.07.
Mecklenburg-Vorpommern	21.10.–25.10.	23.12.–03.01.	17.02.–28.02.* 15.04.–21.04.	05.06.–09.06.	13.07.–21.08.
Niedersachsen	10.10.–19.10.	21.12.–06.01.	01.04.–21.04.	06.06.–09.06.	25.06.–05.08.
NRW	21.10.–26.10.	23.12.–06.01.	06.04.–25.04.	09.06.	16.07.–29.08.
Rheinland-Pfalz	21.10.–26.10.	23.12.–08.01.	06.04.–25.04.	09.06.	23.07.–02.09.
Saarland	07.10.–19.10.	23.12.–06.01.	02.03.–03.03. 13.04.–27.04.	–	23.07.–05.09.
Sachsen	14.10.–18.10.	23.12.–03.01.	20.02.–28.02.* 16.04.–24.04.	04.06.–09.06.	06.07.–14.08.
Sachsen-Anhalt					
Schleswig-Holstein	14.10.–26.10.	23.12.–06.01.	09.04.–25.04.	–	18.06.–01.08.
Thüringen	21.10.–25.10.	23.12.–03.01.	10.02.–21.02.* 13.04.–16.04.	05.06.–09.06.	13.07.–21.08.

Angegeben ist jeweils der erste und letzte Ferientag.   * Winterferien

Stand 1.4.1991. Angaben ohne Gewähr.

Du bekommst die Ferientermine für Baden-Württemberg (Südwestdeutschland) und dein Partner die Termine für Sachsen-Anhalt in Ostdeutschland. Frag ihn/sie, wann die Ferien beginnen und wann sie enden!

Zum Beispiel:

Wann beginnen die Weihnachtsferien bei dir?

Wann sind die Weihnachtsferien bei dir zu Ende?

Wann enden die Sommerferien bei dir?

a 4   Andrea schreibt heute auch einen Brief. Sie wohnt jetzt in Süddeutschland, aber sie kommt aus Hamburg, und sie möchte einen alten Freund für einen kurzen Besuch einladen. Hör gut zu – sie liest ihren Brief vor.

Herrenberg, den 26. Februar

Lieber Björn !

Vielen Dank für Deinen letzten Brief. Ich habe ihn heute bekommen. Mir geht's prima, und meiner Familie auch. Du fragst, wie meine neue Schule ist – das ist das Andreae-Gymnasium in Herrenberg. Ich finde die Schule prima – sie liegt am Stadtrand. Sie ist viel größer als das Gymnasium Hamm, und unser Klassenlehrer heißt Herr Marschall – er ist sehr sympathisch.

Mathe ist hier viel besser, und ich finde Physik auch sehr interessant ! Ich habe viele Freunde, und sie sind alle sehr nett. Wie geht's Dir und allen in der alten Schule ? Ist Frau Piepe immer noch da ? Ist Ecki immer noch so faul ?

Grüß alle meine alten Freunde !

Hoffentlich kommst Du zu uns kommen – Du bist jederzeit willkommen ! Aber wann kannst Du kommen ? Im August vielleicht, in den Sommerferien ? Oder zu Ostern, im April ? Schreib mir bald, bitte, oder ruf mich an. Wenn Du ankommst, dann holen wir Dich vom Bahnhof ab, aber wir müssen wissen, wann Du kommst ! Ich freue mich auf Deinen Besuch.

Also, tschüs, bis dann !

Deine Freundin,

Andrea

B Auf der Post

Andrea ist jetzt fertig, und sie geht zur Post.

Sie geht an den Schalter – sie braucht Briefmarken für den Brief.

Guten Tag.

Guten Tag.

Eine Briefmarke zu einer Mark, bitte. Und zwei Briefmarken zu achtzig Pfennig.

Danke schön. Auf Wiedersehen!

Andrea trifft eine Freundin. Marianne ist auch auf der Post – sie hat viele Brieffreunde in ganz Europa und auch in Amerika.

Grüß dich, Marianne. Wie geht's dir heute?

Hallo Andrea! Gut, danke, und dir?

Prima – schönes Wetter, nicht wahr? Kaufst du auch Briefmarken?

Ja. (*Sie geht an den Schalter.*) Was kostet ein Brief nach Italien, bitte?

Eine Mark.

Und ein Brief nach Frankreich? Was kostet das?

Auch eine Mark.

Und was kostet ein Brief nach Amerika?

Ein Brief nach Amerika? Zwei Mark vierzig.

Also . . . sechs Briefmarken zu einer Mark. Und viermal Briefmarken zu zwei Mark vierzig, bitte.

Das macht sechs Mark plus neun Mark sechzig. Das macht fünfzehn Mark sechzig insgesamt, bitte.

Vielen Dank. Auf Wiedersehen.

b1

Hör gut zu. Diese Leute kaufen Briefmarken. Wie viele Briefmarken kaufen sie, und was kostet das alles zusammen?

Wie viele Briefmarken?	Preis
1	
2	
3	
4	
5	
6	

1 Was kostet ein Brief nach Schweden?
2 Was kostet ein Brief nach Rumänien?
3 Was kostet ein Brief nach China?
4 Was kostet ein Brief nach Spanien?
5 Was kostet ein Brief nach Ungarn?

b2

Kannst du diese Information aus dem *Gelben Tip* der Bundespost lesen und verstehen?

Sind diese Aussagen falsch oder richtig?

1 Ein Brief nach Madeira kostet eine Mark.
2 Ein Brief nach Köln kostet eine Mark fünfzig.
3 Eine Postkarte nach Italien kostet sechzig Pfennig.
4 Eine Postkarte nach Belgien kostet neunzig Pfennig.
5 Ein Brief nach England kostet eine Mark sechzig.
6 Eine Postkarte nach Frankreich kostet zehn Mark.
7 Ein Brief nach Amerika kostet eine Mark vierzig.

Wieviel Porto...
...für eine Postkarte

Im Bereich der Deutschen Bundespost	60 Pf
Nach allen europäischen Ländern (einschließlich der asiatischen Gebietsteile der Sowjetunion und der Türkei sowie der Azoren, Färöer, Grönland, der Kanarischen Inseln, Madeira und der französischen überseeischen Departements Guadeloupe, Guayana, Martinique, Réunion und der Gebietskörperschaften von Mayotte sowie St. Pierre und Miquelon)	60 Pf
In die übrigen Länder	80 Pf

...und für einen Standardbrief?

Im Bereich der Deutschen Bundespost	100 Pf
Nach allen europäischen Ländern (einschließlich der asiatischen Gebietsteile der Sowjetunion und der Türkei sowie der Azoren, Färöer, Grönland, der Kanarischen Inseln, Madeira und der französischen überseeischen Departements Guadeloupe, Guayana, Martinique, Réunion und der Gebietskörperschaften von Mayotte sowie St. Pierre und Miquelon)	100 Pf
In die übrigen Länder	140 Pf

Sie bekommen Briefmarken bei jedem Postamt. Oder häufig auch da, wo Sie Ihre Ansichtskarten kaufen. Außerdem sind an Postämtern und vielen anderen Stellen in Stadt und Land Münzautomaten für Briefmarken aufgestellt. Wenn Sie ein Briefmarken-Heftchen mit jeweils acht Briefmarken am Schalter oder am Automaten erwerben, haben Sie immer einen kleinen Vorrat, um Ihre Sendungen richtig frankieren zu können.

Frau Dudelmeier arbeitet bei der Post. Was sagt sie zu den Touristen? Sieh dir den Auszug aus dem *Gelben Tip* (auf Seite 113) an, und hilf ihr, diese Fragen zu beantworten.

1 Was kostet ein Brief nach Österreich?
2 Was kostet eine Postkarte nach Portugal?
3 Was kostet ein Brief nach Luxemburg?
4 Was kostet eine Postkarte nach Schweden?
5 Was kostet ein Brief in die Schweiz?
6 Was kostet ein Brief in die Niederlande?
7 Was kostet ein Brief nach Berlin (das ist in Deutschland!)?

Auf der Post			
Was kostet ein Brief Was kostet eine Postkarte		nach	England? Frankreich? Belgien?
Ich möchte	eine Briefmarke zwei Briefmarken drei Briefmarken	zu	einer Mark zwei Mark sechzig Pfennig

Diese Leute sind auch auf der Post. Was sagen sie? Arbeite mit einem Partner zusammen – erfinde einen Dialog *Auf der Post.*

*b*5 Hans Becker hat einen Brief an eine Freundin in Frankfurt geschrieben. Hier ist der Umschlag. Jede Stadt in Deutschland (auch in Österreich und in der Schweiz) hat eine *Postleitzahl.* Herrenberg hat zum Beispiel die Postleitzahl 7033. Tübingen ist 7400, Berlin ist 1000, Bremen ist 2800, Hamburg ist 2000, Stuttgart ist 7000 und München ist 8000. Man darf die Postleitzahl nicht vergessen!

Kannst du die richtige Postleitzahl für diese österreichischen Städte finden?

1 Wiener Neustadt   2 Innsbruck
3 Salzburg   4 Wels
5 Graz   6 Klagenfurt

	Österreich				
PLZ	Ort	PLZ	Ort	PLZ	Ort
A-3300	AMSTETTEN	A-2100	KORNEUBURG	A-9300	ST. VEIT AN DER GLAN
A-2500	BADEN	A-3500	KREMS	A-3900	SCHWARZENAU
A-5640	BADGASTEIN	A-6330	KUFSTEIN	A-2320	SCHWECHAT
A-4820	BAD ISCHL	A-6500	LANDECK	A-6100	SEEFELD
A-5500	BISCHOFSHOFEN	A-8700	LEOBEN	A-2680	SEMMERING
A-6700	BLUDENZ	A-9900	LIENZ	A-9800	SPITTAL AN DER DRAU
A-6900	BREGENZ	A-4020	LINZ	A-4400	STEYR
A-6230	BRIXLEGG	A-3390	MELK	A-2000	STOCKERAU
A-2460	BRUCK	A-2340	MÖDLING	A-9220	VELDEN
	AN DER LEITHA	A-7100	NEUSIEDL AM SEE	A-9500	VILLACH
A-6850	DORNBIRN	A-3200	OBERGRAFENDORF	A-9100	VÖLKERMARKT
A-7000	EISENSTADT	A-7400	OBERWART	A-4600	WELS
A-6800	FELDKIRCH	A-4100	OTTENSHEIM	–	WIEN*)
A-8200	GLEISDORF	A-9210	PÖRTSCHACH	A-2700	WIENER NEUSTADT
A-4810	GMUNDEN	A-5020	SALZBURG	A-6300	WÖRGL
A-8020	GRAZ	A-6580	ST. ANTON	A-9400	WOLFSBERG,
A-5400	HALLEIN		AM ARLBERG		KÄRNTEN
A-6020	INNSBRUCK	A-5600	ST. JOHANN	A-5700	ZELL AM SEE
A-9020	KLAGENFURT		IM PONGAU		
A-3400	KLOSTERNEUBURG	A-3100	ST. PÖLTEN		

Diese Städte sind in der Schweiz. Was sind ihre Postleitzahlen?

7 Basel   8 Zürich
9 Interlaken   10 St. Moritz

	Schweiz				
PLZ	Ort	PLZ	Ort	PLZ	Ort
CH-5000	AARAU	CH-8750	GLARUS	CH-7500	ST. MORITZ
CH-6460	ALTDORF UR	CH-2540	GRENCHEN	CH-6060	SARNEN
CH-9050	APPENZELL	CH-9100	HERISAU	CH-8200	SCHAFFHAUSEN*)
CH-5400	BADEN	CH-8810	HORGEN	CH-6430	SCHWYZ
CH-4000	BASEL*)	CH-3800	INTERLAKEN	CH-1950	SION
CH-6500	BELLINZONA	CH-8280	KREUZLINGEN	CH-4500	SOLOTHURN
CH-3000	BERN*)	CH-8700	KÜSNACHT ZH	CH-6370	STANS
CH-2500	BIEL/BIENNE*)	CH-4900	LANGENTHAL	CH-8800	THALWIL
CH-5200	BRUGG AG	CH-1000	LAUSANNE*)	CH-3600	THUN*)
CH-3400	BURGDORF	CH-4410	LIESTAL	CH-8610	USTER
CH-2300	CHAUX-DE-FONDS,	CH-2400	LOCLE, LE	CH-1800	VEVEY
	LA*)	CH-6600	LOCARNO	CH-8820	WÄDENSWIL
CH-6830	CHIASSO	CH-6900	LUGANO	CH-5430	WETTINGEN
CH-7000	CHUR	CH-6000	LUZERN*)	CH-9500	WIL SG
CH-2800	DELÉMONT	CH-2000	NEUCHÂTEL*)	CH-8400	WINTERTHUR*)
CH-8953	DIETIKON	CH-4600	OLTEN	CH-1400	YVERDON
CH-8600	DÜBENDORF	CH-1020	RENENS VD	CH-4800	ZOFINGEN
CH-8500	FRAUENFELD	CH-4125	RIEHEN	CH-8000	ZÜRICH*)
CH-1700	FRIBOURG	CH-9400	RORSCHACH	CH-6300	ZUG
CH-1200	GENÈVE*)	CH-9000	ST. GALLEN		

*) Für diese Orte gelten mehrere Postleitzahlen.

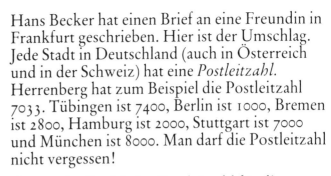

BUNDESREPUBLIK
DEUTSCHLAND

b 6   Hör gut zu. Diese Leute geben ihre Adressen an
– kannst du die Postleitzahlen für diese
deutschen Städte notieren?

Städte	**Postleitzahlen**
1 Freising	
2 Dresden	
3 Lübeck	
4 Rostock	
5 Freiburg im Breisgau	
6 Frankfurt (Oder)	
7 Kiel	
8 Oggersheim	

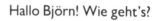

b 7

Hallo Björn! Wie geht's?

Gut, danke! Du, ich habe deinen Brief bekommen –
vielen Dank. Ich kann zu Ostern kommen. Ich komme
am 30. März an. Kannst du mich abholen?

Ja, sicher. Um wieviel Uhr ungefähr?

Um elf Uhr zwanzig ist der Zug in Stuttgart. Sag
deinen Eltern vielen Dank. Bis dann. Tschüs!

Ja, tschüs. Danke für den Anruf.

***b*8** Herr Renner arbeitet in der Nähe von
Herrenberg. Sein Kollege kommt aus Mainz.
Herr Renner geht nicht zur Post. Er schickt
seinem Kollegen in Mainz ein TELEFAX. Hier ist
das TELEFAX, das er dann als Antwort bekommt:

Kordelia Verlag

An: Herrn Wolfgang Renner
Betr.: Konferenz in Stuttgart
Datum: den 27. Februar

Sehr geehrter Herr Renner,

Vielen Dank für Ihr Fax. Ich komme am 24. März in Stuttgart an. Können Sie mich bitte vom Bahnhof abholen? Ich bin um 11.15 da.

Ihr

Gerhard Schulz

Madame Leblanc kommt aus Frankreich nach
Stuttgart. Sie schickt auch ein TELEFAX. Hier ist
es:

Schmidt & Müller GmbH

An: Herrn Wolfgang Renner
Betr.: Konferenz in Stuttgart
Datum: den 3. März

Sehr geehrter Herr Renner,

Vielen Dank für Ihr FAX. Ich komme am 24. März in Stuttgart an. Ich komme mit dem Zug und bin um 11.15 da. Können Sie mich abholen?

Ihre

Marcelline Leblanc

SCHAU MAL, WIE GLÜCKLICH SIE IST. JETZT HAT SIE IHREN ERSTEN LIEBESBRIEF GEFAXT BEKOMMEN

Jan Tomaschoff

Wie geht's Dir?

wieder nach Deutschland zu fahren.

Ich komme am dritten Juli um sieben Uhr morgens am Flughafen an.

Ich habe einen neuen grellen Koffer!

Also, bis bald,

Deine, Wendy

Viele Grüße aus Australien!

Hier in Perth ist es sehr warm.

Ich freue mich sehr,

Alles Liebe,

Kannst du mich abholen.

Liebe Ines!

Wie ist das Wetter bei Dir?

Ist das in Ordnung?

Kannst du mich anrufen?

Perth, den 1. Mai.

b₉

Versuch mal, Ines zu helfen! Ihre Brieffreundin Wendy hat diesen merkwürdigen Brief geschickt. Hoffentlich kannst du ihn in Ordnung bringen.

Kannst du auch einen solchen Brief (oder: ein solches Telefax) schreiben? Hier sind ein paar Ausdrücke:

Einen Brief schreiben	
Brief an einen Freund oder Bekannten	**Brief an einen Geschäftskollegen**

Lieber . . . / Liebe . . .
 Ich komme (um + Zeit) (am + 1./2./
   3. usw. + Monat) an.
 Kannst Du mich abholen?
 Kannst Du mich anrufen?
 Kannst Du mir eine Antwort
   schicken?
 Dein . . . / Deine . . .
	Sehr geehrter Herr . . . / Sehr geehrte
	   Frau . . .
	 Ich komme (um + Zeit) (am + 1./2./
	   3. usw. + Monat) an.
	 Können Sie mich abholen?
	 Können Sie mich anrufen?
	 Können Sie mir ein Telefax schicken?
	 Ihr . . . / Ihre . . .

C Darf ich Dir meine Familie vorstellen?

Am 30. März kommt Björn in Herrenberg an. Andreas Familie holt ihn vom Bahnhof ab. Sie warten alle auf dem Bahnsteig, und der Zug kommt pünktlich an. Es ist elf Uhr zwanzig.

Da ist er! Hallo, Björn. Wie geht's dir? Hast du eine gute Reise gehabt?

Ja, prima, danke. Wie geht's dir?

Auch gut. Also, darf ich dir meine Familie vorstellen? Das hier ist meine Mutter. Hier ist mein Vater.

Guten Tag.

Guten Tag, Björn. Du bist bestimmt müde. Wir fahren am besten sofort nach Hause.

Und das ist meine Schwester, Karin. . . .

Grüß dich.

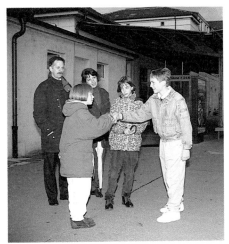

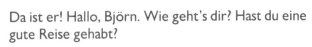

Es ist wirklich gut, daß du da bist! Wir gehen morgen in die Stadt, und am Samstag spielen wir Tennis. Am Sonntag sehen wir die anderen in der Familie: Meine Tante, sie ist sehr nett, und meinen Onkel – er arbeitet bei Mercedes und ist auch sehr nett. Wir besuchen auch meine Oma – sie ist jetzt sehr alt und wohnt allein.

Also, los geht's!

C1   Hier sind zwölf Leute, die warten. Hör gut zu und schreib auf, was sie zu ihren Freunden/ Kollegen sagen. Die Begrüßungen zur Auswahl sind auf Seite 121.

1

2

3

4

5

6

Hier sind die Begrüßungen zur Auswahl –
Welche Begrüßung paßt zu welchem Bild?

a ,Guten Morgen, Madame Leblanc. Sie sind
sicherlich sehr müde nach der langen Reise. Darf
ich meinen Geschäftspartner, Herrn Witzemann,
vorstellen?'

b ,Hallo, Susi. Hast du eine gute Reise gehabt? Das
ist mein Freund Harald.'

c ,Hallo, Angelika. Bist du müde? Das hier ist mein
Bruder.'

d ,Hallo, Oma. Wie geht's dir? Das hier ist meine
Freundin.'

e ,Wie geht es Ihnen, Frau Müller? Ich möchte
Ihnen meine Frau vorstellen.'

f ,Guten Tag Herr Renner. Haben Sie eine gute
Reise gehabt? Darf ich Ihnen Frau Schulz
vorstellen?'

C 2

Wie kannst du deine Familie einem deutschen
Gast vorstellen?

Zusammenfassung *Was habe ich gelernt?*

Wenn du fertig bist, mach einen Haken! Wenn du nicht fertig bist, versuch's noch
einmal.

	Prima	Gut	Nicht sehr gut	Seite
Ich kann fragen: 1 Wann sind die Ferien? 2 Was kostet ein Brief/eine Postkarte nach .. 3 Kannst Du mich abholen? Kannst Du mich anrufen? usw.				108 114 118
Ich kann sagen: 4 Die Weihnachtsferien sind am + Datum 5 Das ist mein Vater/meine Mutter usw.				108 121
Ich kenne: 6 die Monate				107

8 Zu Hause

A Wo wir wohnen

Die Familie wohnt nicht in der Stadtmitte von Herrenberg. Sie wohnt auf dem Lande, in Kuppingen. Während sie fahren, erzählt Andrea Björn, wo sie wohnt:

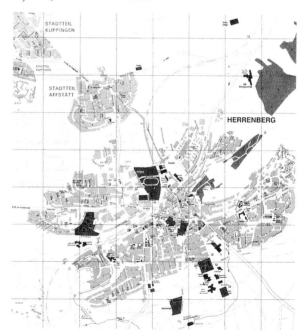

‚Mein Onkel wohnt da um die Ecke in einem Bungalow[1], und mein Freund Kai, er wohnt hier mit seiner Familie in einem Doppelhaus[2].'

1

2

3

In Deutschland wohnt man sehr oft in einer Wohnung. Man kann auch in einem Zweifamilienhaus[3] oder in einem Reihenhaus[4] wohnen. In der Stadtmitte wohnt man vielleicht in einer Wohnung[5] (entweder in einer Eigentumswohnung oder in einer Mietwohnung). Auf dem Lande wohnt man vielleicht in einem Bauernhaus.[6] Wo wohnst du? In einer Wohnung, in einem Einfamilienhaus, in einem Doppelhaus oder in einem Reihenhaus? Ist das auf dem Lande oder in der Stadtmitte?

4

6

5

a 1

Hör gut zu! Wir haben einige Deutsche gefragt, in was für einem Haus sie wohnen. Wo wohnt Ingrid? Wo wohnt Nina? Verbinde die Einzelheiten und schreib Sätze.

Person	Wohnt in ...	Stadtmitte/Land
Ingrid	in einem Bungalow	
Nina	in einem Doppelhaus	
Dirk	in einem Reihenhaus	in der Stadtmitte
Hans	in einem Bauernhaus	
Manfred	in einem Einfamilienhaus	auf dem Lande
Maria	in einer Wohnung	

a_2 Hör gut zu. Sechs Leute suchen ein Haus oder eine Wohnung. Was suchen sie? Wie füllen sie den Coupon in der Zeitung aus?

Service-Auftrag:

Bitte beachten Sie unbedingt die jeweiligen Erläuterungen bei den einzelnen Merkmalen!

A) Objekte

Hier können Sie aus dieser Gliederung bis zu *insgesamt zwei Objekte* ankreuzen, z.B. Reihenhaus und Doppelhaushälfte. Objekte *ohne* Preise werden grundsätzlich mit angeboten.

Bitte nur bis max. zwei Objekte ankreuzen!
- ☐ Eigentumswohnung 1 Zimmer
- ☐ Eigentumswohnung 2 Zimmer
- ☐ Eigentumswohnung 3 Zimmer
- ☐ Eigentumswohnung 4 Zimmer
- ☐ Eigentumswohnung 5 Zimmer u. mehr
- ☐ Maisonette
- ☐ Penthouse (auch Dachterrasse)
- ☐ Dachgeschoßwohnung
- ☐ Bauernhaus   ☐ Mehrfamilienhaus
- ☐ Bungalow   ☐ Reihenhaus
- ☐ Doppelhaushälfte ☐ Reiheneckhaus
- ☐ Einfamilienhaus ☐ Villa
- ☐ Landhaus
- ☐ Grundstück (<u>nicht</u> in Verbindung mit Objekt ankreuzen)

B) Wohnlage
Entweder nur ein Gebiet

☐ **München-Stadt Zentrum:**
Altstadt – City – Deutsches Museum – Hauptbahnhof – Haus der Kunst – Maximilianeum – Universität – Theresienwiese

☐ **München-Stadt Nord:**
Allach – Englischer Garten – Fasanerie Nord – Feldmoching – Freimann – Großlappen – Harthof – Hasenbergl – Lerchenau – Milbertshofen – Moosach – Olympiazentrum – Schwabing

☐ **München-Stadt Ost:**
Baumkirchen – Berg am Laim – Bogenhausen – Daglfing – Denning – Englschalking – Haidhausen – Herzogpark – Johanneskirchen – Josephsburg – Lehel – Michaeliburg – Oberföhring – Perlach – Ramersdorf – Riem – Steinhausen – Trudering – Zamdorf

☐ **München-Stadt Süd:**
Au – Forstenried – Fürstenried – Giesing – Hadern – Harlaching – Harras – Maxhof – Menterschwaige – Prinz-Ludwig-Höhe – Sendling – Solln – Stadelheim – Thalkirchen – Waldfriedhof

☐ **München-Stadt West:**
Aubing – Blumenau – Gern – Laim – Langwied – Lochhausen – Menzing – Neuhausen – Nymphenburg – Pasing – Pipping – Westend

☐ **S-Bahn-Region Nord:**
S1: Oberschleißheim – Unterschleißheim – Lohhof – Eching – Neufahrn – Pulling – Freising – u.a.
S2: Karlsfeld – Dachau – Walpertshofen – Röhrmoos – Esterhofen – Petershausen – u.a.
S3: Unterföhring – Ismaning – u.a.

☐ **S-Bahn-Region Ost:**
S4: Haar – Vaterstetten – Baldham – Zorneding – Eglharting – Kirchseeon – Grafing Bahnhof – Grafing Stadt – Ebersberg – u.a.
S6: Feldkirchen – Heimstetten – Grub – Poing – Markt Schwaben – Ottenhofen – St. Kolomann – Aufhausen – Altenerding – Erding – u.a.

☐ **S-Bahn-Region Süd:**
S1: Neubiberg – Ottobrunn – Hohenbrunn – Wächterhof – Höhenkirchen/Siegertsbrunn – Dürrnhaar – Aying – Peiß – Großhelfendorf – Kreuzstraße – u.a.

S2: Fasanenpark – Unterhaching – Taufkirchen/Unterhaching – Furth – Deisenhofen – Sauerlach – Otterfing – Holzkirchen – u.a.
S6: Lochham – Gräfelfing – Planegg – Stockdorf – Gauting – Mühltal – Starnberg – Possenhofen – Feldafing – Tutzing – u.a.
S7: Pullach – Höllriegelskreuth – Buchenhain – Baierbrunn – Hohenschäftlarn – Ebenhausen/Schäftlarn – Icking – Wolfratshausen – u.a.

☐ **S-Bahn-Region West:**
S3: Gröbenzell – Olching – Esting – Gernlinden – Maisach – u.a.
S4: Puchheim – Eichenau – Fürstenfeldbruck – Buchenau – Schöngeising – Grafrath – Türkenfeld – Geltendorf – u.a.
S5: Harthaus – Unterpfaffenhofen/Germering – Geisenbrunn – Gilching/Argelsried – Neugilching – Weßling – Steinebach – Seefeld/Hechendorf – Herrsching – u.a.

oder
☐ **Angebote aus dem übrigen Oberbayern**

oder
☐ **Orts- bzw. Stadtteilnamen**
Es sind bis zu drei Nennungen möglich.

a _____

b _____

c _____

C) Weitere Merkmale

Bitte bei den folgenden Merkmalen nur *ein einziges* ergänzen, z.B. „Gesamtpreis (min.+max.)" Grundstücke *ohne* Preise werden grundsätzlich mit angeboten.

● Gesamtpreis: min.____ max.____
oder
● Wohnfläche: min.____ max.____
oder
● Grundstücksfl.: min.____ max.____
● Erstbezug: ja____ nein____
oder
● Beziehbar: ja____ nein____

D) Angaben zur Auftragsabwicklung:

Name _____

Vorname _____

Straße/Nr. _____

Postleitz./Ort _____

Bank/Ort _____

Konto-Nr. _____

BLZ ⌐_⌐_⌐_⌐_⌐_⌐_⌐_⌐_⌐

Ich bin mit der Abbuchung von oben genanntem Konto und der Verarbeitung meiner Daten in EDV-Anlagen nur für diesen Auftrag einverstanden.

Datum _____

Telefon _____

Unterschrift _____

Ich wünsche die Zusendung
einmal ☐ oder mehrmals: . . . . mal
(Versand in Abständen von 14 Tagen)

Diesen Coupon senden Sie bitte an:
**Süddeutsche Zeitung
SZ-Immobilienservice
Postfach 20 22 20
8000 München 2**
**oder: Tel. Bestellung
unter 0 89 / 21 83 - 2 37**

B Ich zeige dir mein Haus

*b*1

1

2

3

Die Familie kommt zu Hause an.

Also, das ist unser Haus.[1] Wir wohnen nicht in einem Einfamilienhaus; wir wohnen in einem Reihenhaus. Es ist modern, nicht so groß, aber sehr bequem. Wir gehen hinein, Björn. Ich zeige dir dein Zimmer. (Sie gehen ins Haus.) Hier ist das Wohnzimmer[2] und hier die Küche.[3] Da hat mein Vater ein kleines Arbeitszimmer auf der linken Seite, und hier ist das Gäste-Klo.[4] Oben sind die Schlafzimmer. (Sie gehen die Treppe hinauf.)[5] Auf der linken Seite ist mein Zimmer, und daneben ist das Zimmer meiner Eltern.[6] Das Badezimmer ist um die Ecke – dort ist auch eine Toilette.[7] Möchtest du dich duschen?

> Danke, nein.

4

5

6

7

Dort ist das Zimmer meiner Schwester, und dein Zimmer ist hier, neben dem Badezimmer. (Sie gehen in das Zimmer.)

Du kannst deinen Koffer auspacken, oder willst du dich ausruhen?

> Nein. Ich möchte aber vielleicht zu Hause anrufen, wenn das geht.

Ja, sicher. Gehen wir nach unten. (Sie gehen die Treppe hinunter.)

Möchtest du etwas zu essen? Oder etwas zu trinken?

> Ja, vielleicht ein Glas Limo.

*b*₂　　Kannst du diese Sätze vervollständigen?

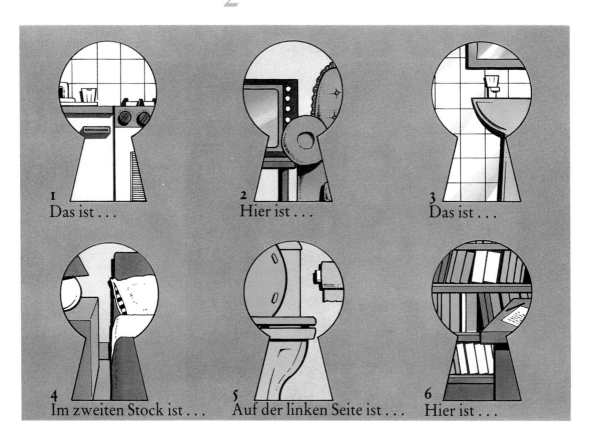

1 Das ist . . .

2 Hier ist . . .

3 Das ist . . .

4 Im zweiten Stock ist . . .

5 Auf der linken Seite ist . . .

6 Hier ist . . .

*b*₃　　Hör gut zu! Hier ist ein Plan von einem Haus.
Trag die Namen der Zimmer ein!

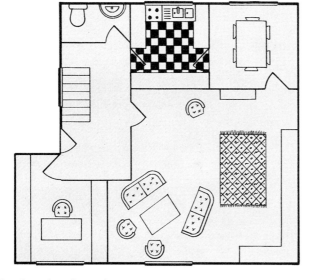
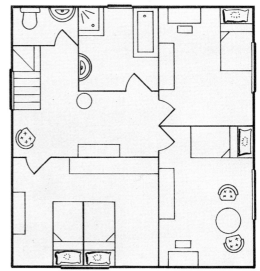

Du bekommst von deinem Lehrer/deiner Lehrerin zwei Pläne von zwei Häusern der Schüler aus Klasse 7a. Was für Zimmer siehst du?

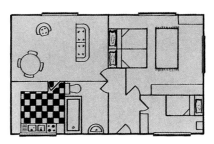 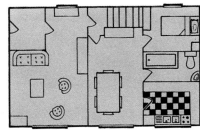

*b*4 Du bekommst den Plan eines Hauses, und dein Partner bekommt einen zweiten Plan. Wo sind aber die Zimmer? Frag deinen Partner oder deine Partnerin!

Zum Beispiel: Wo ist das Wohnzimmer?
Es ist im Erdgeschoß. Es ist auf der linken Seite.

*b*5 Kannst du einen Plan deines Hauses zeichnen?

*b*6 Kannst du deinem Partner dein Haus beschreiben? Wo ist das Wohnzimmer? Wo ist dein Zimmer? Wo ist die Küche?

Wo ist das Klo?		
Das		mein Zimmer
Hier		dein Zimmer
Dort		das Zimmer meiner Eltern
Daneben	ist	das Zimmer meiner Schwester
Auf der linken Seite		das Zimmer meines Bruders
Auf der rechten Seite		das Wohnzimmer
Im Erdgeschoß		das Badezimmer
Im ersten Stock		das Arbeitszimmer
Im zweiten Stock		das Eßzimmer
		das Klo/die Toilette
		die Küche

Hör gut zu! Was möchte Julian zuerst machen? Zu Hause anrufen? Zur Toilette gehen? Oder den Koffer auspacken?

Was möchtest du machen?	
Ich möchte	etwas zu essen etwas zu trinken zu Hause anrufen mich duschen mich baden zur Toilette gehen mich ausruhen meinen Koffer auspacken
Möchtest du	etwas zu essen? etwas zu trinken? zu Hause anrufen? dich duschen? dich baden? zur Toilette gehen? dich ausruhen? deinen Koffer auspacken?

a Ich möchte mich ausruhen.
b Ich möchte etwas zu essen.
c Ich möchte etwas zu trinken.
d Ich möchte zu Hause anrufen.
e Ich möchte mich duschen.
f Ich möchte mich baden.
g Ich möchte zur Toilette gehen.

Dialog	Aussagen
1	
2	
3	
4	
5	
6	
7	

b₈ Spiel! Du bekommst die Karten von deinem Lehrer/deiner Lehrerin. Frag deine Klassenkameraden, was sie machen möchten! Wer kann die meisten Karten sammeln?

Zum Beispiel:

A Möchtest du dich duschen?
B Nein, ich möchte etwas zu essen!
   (B behält seine Karte.)
A Möchtest du dich ausruhen?
B Ja.
   (A bekommt Bs Karte.)

b₉ Du bekommst einen Gast aus Österreich. Zeig ihm sein Zimmer und dein Haus und frag ihn, was er machen möchte!

Du kannst zuerst diesen Plan und dieses Gespräch benutzen, wenn du willst.

Erdgeschoß   **Erster Stock**

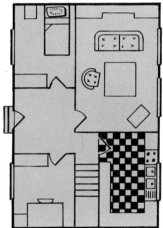
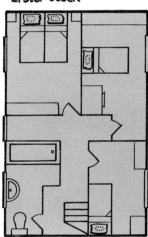

Also, auf der linken Seite hier ist *ein Schlafzimmer*, und daneben ist *das Wohnzimmer*. Auf der rechten Seite hier ist *das Arbeitszimmer*, und dort ist *die Küche*. *Die Treppe* ist auf der rechten Seite. *Mein Schlafzimmer* ist im ersten Stock, und *dein Zimmer* ist daneben. *Das Zimmer meiner Eltern* ist der Treppe gegenüber auf der linken Seite.

Und wo ist *das Badezimmer*?

Das Badezimmer ist im ersten Stock, auf der linken Seite. Möchtest du *dich duschen*?

Nein danke, aber ich möchte gern *etwas zu essen*. Ich habe Hunger.

C Was essen wir?

Andreas Vater kauft im Supermarkt
Lebensmittel ein.

Das ist, was er kauft:

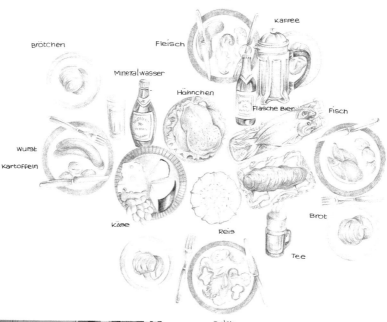

Sabine frühstückt um sieben Uhr.

Die Familie Haabermaß
beim Mittagessen.

Abendessen bei der Familie Wellmann.

C1 Was ißt und trinkt Andrea zum Frühstück, zum Mittagessen und zum Abendessen?
(1, 2, 3, 4 oder 5?).

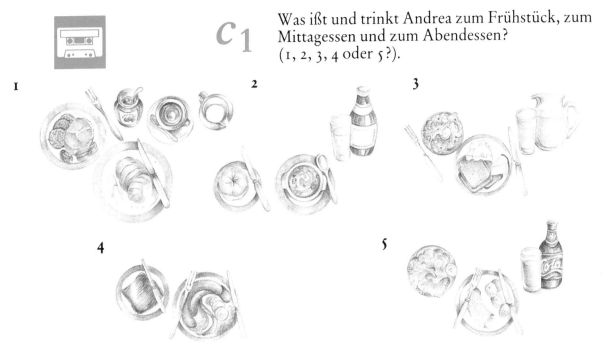

C2 Hör gut zu! Was essen und trinken diese jungen Leute zum Frühstück, zum Mittagessen und zum Abendessen?

	Zum Frühstück	Zum Mittagessen	Zum Abendessen
1			
2			
3			
4			
5			
6			

C3 Was ißt man zum Frühstück, was zum Mittagessen, was zum Abendessen? Schreib drei Listen – aber paß auf! Man kann einige Sachen zum Abendessen *und* zum Frühstück essen! Wer kann die größte Liste schreiben?

D Ich esse gern . . . / Ich trinke gern . . .

Ich esse sehr gern Pommes Frites!

Ich trinke nicht gern Kaffee!

Ich trinke sehr gern Cola!

Ich esse nicht gern Wurst und Fleisch!

*d*₁ Hör gut zu! Was essen und trinken sie gern? Du hörst vier Leute: Dieter, Ilse, Helmut und Antonia.

	Ich esse gern . . .	Ich esse nicht gern . . .	Ich trinke gern . . .	Ich trinke nicht gern . . .
1 Dieter				
2 Helmut				
3 Ilse				
4 Antonia				

d_2 Was ißt du gern? Was trinkst du gern? Füll den Fragebogen für dich selbst aus und frage dann deinen Partner/deine Partnerin.

Fragebogen: Was essen wir gern?

Ißt du gern (Pommes frites)?	√√ Ja, sehr gern	× Nein, nicht gern
Trinkst du gern (Limo)?	√ Ja, gern	? Ich weiß es nicht.

Ißt du gern . . .

	Du	Partner(in)
1		
2		
3		
4		
5		
6		

	Du	Partner(in)
7		
8		

Trinkst du gern . . .

	Du	Partner(in)
9		
10		
11		

Mache jetzt eine Umfrage. Frage mindestens zehn Leute aus deiner Klasse. Frag mal ‚Was ißt du gern?' und ‚Was ißt du nicht gern?' Schreib die Ergebnisse auf – zum Beispiel:

	√ gern	× nicht gern	? weiß nicht
1. Pommes Frites	Andrew, Julie, Peter	Karen, Stuart	
2. Fleisch	Peter, Karen	Andrew, Julie, Stuart	

E Zu Tisch!

Mutter ruft Andrea und Björn.

Das Mittagessen ist fertig. Schnell! Zu Tisch!

Was ißt du gern, Björn?

Ich esse alles, aber ich esse Fisch nicht so gern.

Wir essen auch nicht oft Fisch. Mutti, was gibt es denn nun heute zu essen?

Kalbfleisch, Kartoffeln mit Soße und einen Salat.

Hmm, das schmeckt mir gut.

Und was gibt es zum Nachtisch?

Frisches Obst. Trinkst du gern Cola, Björn?

Nein. Ich trinke lieber Mineralwasser oder Saft.

Schön. Apfelsaft haben wir bestimmt!

Ja, danke.

Die Familie ißt heute Wiener Schnitzel. Das ist ein traditionelles Essen aus Österreich. Hier ist das Rezept:

1 Man nimmt ein Stück Fleisch, normalerweise Kalbfleisch,
2 es wird paniert
3 und dann in der Pfanne in heißem Öl gebraten. Das schmeckt lecker!

Möchtest du noch ein Schnitzel, Björn?

Ja, gern. Das ist wirklich lecker!

Zum Nachtisch gibt es dann frisches Obst
– Äpfel, Bananen, Orangen und Birnen.

Möchtest du noch Obst, Björn?

Nein danke, das hat alles sehr gut geschmeckt, aber ich bin satt.

Dein Partner ist wie Freddy Freßsack – er ißt alles gern und hat immer Hunger. Du bietest an:

Zum Beispiel: Möchtest du noch *Schokolade*?
Ja, gerne! Das ist lecker.

Jetzt ist dein Partner wie die schlanke Susi – sie macht Diät, und sie hat keinen Hunger! Du bietest an:

Zum Beispiel: Möchtest du noch *Pommes Frites*?
Nein, danke! Ich bin satt.

Kannst du dein eigenes Gespräch erfinden? Du arbeitest mit einem Partner zusammen – einer ist der Gast, der andere ist der Gastgeber.

Was der Gastgeber sagt:	Was der Gast sagt:
Was ißt du gern? Was trinkst du gern?	Ich esse gern . . . Ich trinke gern . . .
Möchtest du . . . ?	Ja, gern. Nein, danke, ich esse nicht gern . . .
Möchtest du noch . . . ?	Ja, gern, das ist lecker. Ja, gern, das schmeckt lecker. Ja, gern, ich habe Hunger. Nein, danke, ich bin satt. Nein, danke, ich mache Diät. Nein, danke, das hat prima geschmeckt.

e 4

Auf der Cocktail-Party! Alle Gäste müssen höflich sein: ‚Ah, guten Tag! Wie heißen Sie? Und wo wohnen Sie?' usw.

Alle übernehmen eine Rolle:

einer, der etwas zu essen anbietet:

‚Möchten Sie etwas zu essen?'

Ja, gern!

Nein, danke!

Nein, danke!

Ja, gern!

eine, die Getränke anbietet:

‚Möchten Sie etwas zu trinken?'

Die anderen sind die Gäste, aber . . .
- einige trinken sehr viel, sagen immer ‚Ja, gerne.'
- einige trinken nicht viel, sagen oft ‚Nein danke.'
- einige essen sehr viel, sagen immer ‚Ja, gerne.'
- einige essen nicht viel, sagen oft ‚Nein, danke.'

F Was machst du gern? Was machst du nicht gern?

*f*1   Was machst du gern, und was machst du nicht gern? Frag deine Freunde! Benutze diese Tabelle.

Was machst du gern und nicht gern?		
ich spiele		Tennis
du spielst		Fußball
er spielt	sehr gern	Tischtennis
sie spielt		Klavier
	gern	Gitarre
ich gehe		einkaufen
du gehst	nicht sehr gern	spazieren
er geht		ins Kino
sie geht	nicht gern	in die Stadt
ich sammle		Briefmarken
ich höre		Musik
ich fahre		Rad
		Ski

Was machst du gern und was machst du nicht gern? Wir haben unsere Freunde gefragt – hör gut zu und wähl jedesmal *sehr gern*, *gern*, *nicht sehr gern* oder *nicht gern*.

	sehr gern	gern	nicht gern	nicht sehr gern
1 Florian				
a zu Hause helfen				
b Hausaufgaben machen				
c fernsehen				
d radfahren				
e lesen				
f schwimmen				
g Fußball spielen				

	sehr gern	gern	nicht gern	nicht sehr gern
2 Sonja				
a zu Hause helfen				
b Hausaufgaben machen				
c fernsehen				
d radfahren				
e lesen				
f schwimmen				
g Fußball spielen				

	sehr gern	gern	nicht gern	nicht sehr gern
3 Andrea				
a zu Hause helfen				
b Hausaufgaben machen				
c fernsehen				
d radfahren				
e lesen				
f schwimmen				
g Fußball spielen				

Zusammenfassung *Was habe ich gelernt?*

Wenn du fertig bist, mach einen Haken! Wenn du nicht fertig bist, versuch's noch einmal.

	Prima	Gut	Nicht sehr gut	Seite
Ich kann fragen:				
1 Möchtest du etwas zu essen?				128
Möchtest du dich duschen? usw.				
2 Was ißt du gern?				132
Was trinkst du gern?				
3 Möchtest du noch Kartoffeln?				135
Ich kann sagen:				
4 Ich wohne in einem Bungalow/in einem				123
Doppelhaus usw.				
5 Ich wohne in der Stadtmitte.				123
6 Hier ist mein Schlafzimmer/das Klo usw.				127
7 Ich esse/trinke/gern . . .				132
8 Ich spiele gern . . ./ich sehe gern fern usw.				137

9 Herrenberg

A Ich möchte dir die Stadt zeigen

Was ist los?

Ich bin noch ziemlich müde.

Das ist aber schade.

Warum?

Ich wollte dir doch die Stadt zeigen.

Ich habe eigentlich keine große Lust. Gibt es denn etwas Interessantes in der Stadt?

Es gibt das Rathaus. △

Das klingt ja wirklich spannend! Ich glaube, ich gehe wieder ins Bett!

Doch, es ist sehr schön – es wurde 1806 gebaut.

Was gibt es denn sonst?

Es gibt einen Markt auf dem Marktplatz, △

einen Bahnhof,
◁

▷

ein Restaurant,

ein Krankenhaus,
◁

▷

ein Hotel

und eine Kirche. Sie heißt die
Stiftskirche St. Marien.
◁

▷
Es gibt eine Sparkasse,

▷
eine Tankstelle,

und viele Schulen – eine
Schule ist auch das ▷
Andreae-Gymnasium.

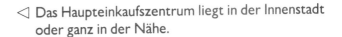

viele Banken △

◁ Das Haupteinkaufszentrum liegt in der Innenstadt
oder ganz in der Nähe.

Gut. Ich gehe gern einkaufen.
Was für Geschäfte gibt es?

Ach, ganz normale Geschäfte. Es gibt

▷
einen Supermarkt,

eine Apotheke,
◁

▷
eine Metzgerei

und eine Konditorei.
▷

Nicht besonders interessant.
Ich habe gern Sport –
was für Möglichkeiten gibt
es in Herrenberg?

Es gibt ein Stadion, ◁

▷
einen Tennisclub,

Schwimmbäder – es gibt
ein Freibad ◁

▷
und ein Hallenbad.

Gibt es auch ein Kino in Herrenberg?

◁ Ja, aber es ist sehr klein.

Ach, toll!

Nein. Ich weiß was! Wir können
uns auch die neuesten CDs oder
Platten anhören.

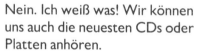

Das ist eine tolle Idee! Komm,
dann wollen wir erst einmal
frühstücken, und dann gehen wir
los.

Beim Frühstück erzählt Björn von seinem
Wohnort.

Wohnst du immer noch in Bergedorf, Björn?

Ja, aber bald ziehen wir um. Wir bleiben in Hamburg,
aber in einem anderen Stadtteil. Er heißt Bramfeld.
Unsere neue Adresse ist Trittauer Amtsweg 44. Wir
bekommen eine Wohnung. Es ist eine Vier-Zimmer-
Wohnung, mit einer Küche, einem Badezimmer,
einem Klo und einem großen Flur.

einen Supermarkt, △

eine Buchhandlung, △

ein Sportgeschäft △

Was gibt es in Bramfeld?

Auch nicht sehr viel. Es gibt einige Geschäfte, zum Beispiel:

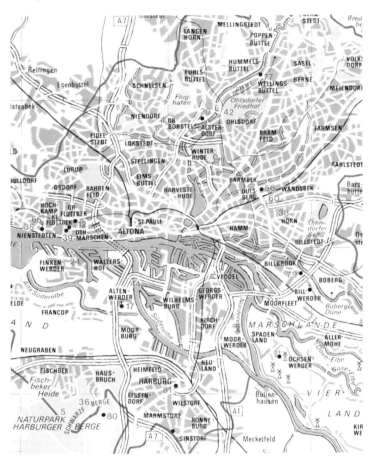

Hamburg mit Bramfeld

und ein Kaufhaus. △

Es gibt auch eine Bibliothek △

und einen See. △

a 1

Andere Leute, andere Städte.

Hör gut zu. Fünf Leute beschreiben ihre Stadt –
was gibt es in jeder Stadt?

Name	Stadt	Was gibt es dort?
1 Jens		
2 Anna		
3 Jörg		
4 Grete		
5 Ilse		

Tübingen △

Bremerhaven △

△ Freiburg

◁ Regensburg

△ Rothenburg

a₂

Europäische Städte – welche möchtest du besuchen? Lies die Notizen von vier Schülern des Andreae-Gymnasiums und finde das passende Foto.

I

a Ich möchte London besuchen. Dort gibt es den Buckingham Palast, die Themse und viele andere Sehenswürdigkeiten.

2

b Ich möchte Köln besuchen. Es gibt dort viele Geschäfte, interessante Museen, einen Bahnhof und den weltberühmten Kölner Dom.

3

c Ich möchte San Francisco besuchen. Es gibt die Golden-Gate-Brücke. Ich habe sie oft im Film gesehen.

4

d Ich möchte Pisa besuchen. Es gibt viele Touristen dort. Sie wollen den schiefen Turm sehen.

Was gibt es in der Stadt?			
Was gibt es in	Herrenberg? Stuttgart? London? Milton Keynes? der Stadt?	Es gibt Wir haben	einen Bahnhof den Dom die Kirche eine Bibliothek ein Schwimmbad

a₃

Was gibt es in deiner Stadt zu sehen?

B Entschuldigung – wo ist der Weg zum Schallplatten- laden, bitte?

Andrea und Björn sind in Herrenberg.

Wann treffen wir uns?

Um fünf.

Und wo?

Vor dem Schallplattenladen – findest du ihn noch?

Ja, kein Problem. Bis dann. Tschüs!

. . . aber jetzt weiß Björn nicht, wo er ist!

Entschuldigung! Wie komme ich zum Schallplattenladen *Musik 2000*, bitte?

Du mußt zunächst bis zum Stadtzentrum gehen.

Wo liegt das?

Geradeaus, dann die erste Straße links.

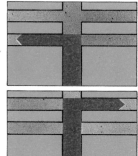

Danke.

Wie komme ich zum Schallplattenladen, bitte?

Zweite Straße rechts.

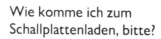

Wie komme ich zum Schallplattenladen, bitte?

Dort drüben ist er schon!

Hallo, Björn! Da bist du endlich!

Na, Andrea – wie spät ist es denn?

Zwanzig nach sechs. Jetzt ist der Laden zu. Macht nichts, wir gehen wieder nach Hause.

*b*₁ Hör gut zu! Wo wollen sie hin? Andere Leute haben auch Probleme, wie Björn in Herrenberg. Füll diese Tabelle aus.

Frage	Was wird gesucht?	Frage	Was wird gesucht?
I 2 3 4 5		6 7 8 9 10	

*b*₂ Herr Schraitle ist Polizist. Er hilft oft den Leuten, die den Weg nicht wissen. Was sagt er am häufigsten?

Gehen Sie geradeaus!

Nehmen Sie die erste Straße links!

Nehmen Sie die erste Straße rechts!

Das Geschäft ist . . .

. . . auf der linken Seite.

Gehen Sie über die Brücke!

. . . auf der rechten Seite.

Gehen Sie über die Ampel!

. . . dort drüben.

Gehen Sie über die Straße!

. . . ungefähr 500m entfernt.

Gehen Sie über den Marktplatz!

b3

Hör gut zu! Ein Tag mit Herrn Schraitle. Was suchen die folgenden Leute, und wie kommen sie dorthin? Füll diese Tabelle aus.

	Was?	Wie?
1		
2		
3		
4		
5		

b4

Welche Richtung? Frau Weißnicht besucht Richtungsstadt. Am Verkehrsamt hat man ihr ein Stadtquiz gegeben. Kannst du ihr helfen? Was gibt es auf Platz 1,2,3 usw.?

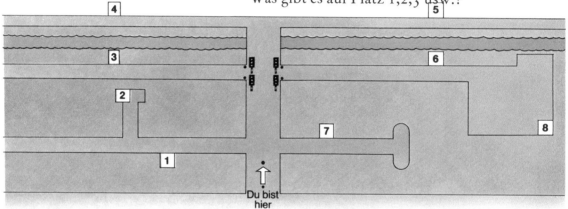

Mach eine Kopie der Straßenkarte und schreib die Namen auf.

A   Das Schwimmbad

Gehen Sie hier geradeaus, und nehmen Sie die zweite Straße rechts.

B   Das Kino

Das ist ziemlich weit! Gehen Sie hier geradeaus, über die Brücke und dann die erste Straße links.

C Die Tankstelle

Gehen Sie hier geradeaus und dann die erste Straße links.

D Die Bank

Sie nehmen die erste Straße links und dann die erste Straße rechts.

E Die Stadtbücherei

Gehen Sie geradeaus, und dann nehmen Sie die zweite Straße links.

F Der Supermarkt

Zweite Straße rechts, geradeaus und dann rechts.

G Die Post

Sie ist ziemlich weit weg. Gehen Sie geradeaus, über die Ampel und dann nach rechts. Die Post ist auf der linken Seite.

H Das Verkehrsamt

Es ist nicht weit, das heißt, nehmen Sie die erste Straße rechts.

Vielleicht kannst du ein ähnliches Quiz für deine Stadt machen . . . oder für deine Schule!

b5

Hör gut zu! Hier ist eine einfache Straßenkarte – kannst du die Karte mit der richtigen Aufschrift versehen?

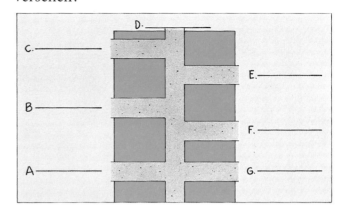

der Bahnhof

das Rathaus

das Krankenhaus

die Bank

der Markt

die Kirche

die Tankstelle

b6 *Zum* oder *zur*? Ingrid wohnt jetzt in Herrenberg, aber sie kommt aus Rußland. Sie spricht am besten Russisch; jetzt lernt sie Deutsch – sie hat noch Probleme mit der Grammatik! Kannst du ihr helfen? Sie muß für jedes Bild einen Satz schreiben.

Zum Beispiel:

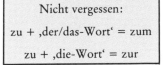

1

Wie komme ich zum Rathaus?

2

3

Dr. med.
Stephan Zerweck
Arzt

Praxiseingang →

Nicht vergessen:

zu + ‚der/das-Wort' = zum

zu + ‚die-Wort' = zur

4

5

6

ANDREAE
GYMNASIUM

b7 Du hast eine Liste von Gebäuden und Hinweisen – aber einige fehlen. Du mußt deinen Partner/deine Partnerin fragen. Er/sie hat die Antworten. Zum Beispiel:

Wie komme ich zum Rathaus, bitte?

Gehen Sie geradeaus.

Danke schön.

Wie komme ich dahin?			
Wie komme ich	zum		Markt? Rathaus?
	zur		Kirche? Post?
Wo ist	der Markt die Post? die Kirche? das Rathaus?		

Nehmen Sie	die	erste zweite dritte	Straße	links rechts

Gehen Sie	geradeaus (nach) links (nach) rechts über die Brücke über die Ampel über die Straße über den Marktplatz		
Der Bahnhof Das Rathaus Die Kirche	ist	auf der rechten Seite auf der linken Seite dort drüben	
Es	sind	ungefähr 500 Meter zehn Minuten zu Fuß	

b 8

Himmel und Hölle

Die Schüler des Andreae-Gymnasiums spielen gern *Himmel und Hölle*. Hartmut und Sonja zeigen uns, wie es geht.

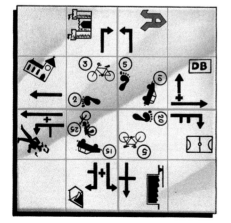

1 Mach eine Kopie der Spielvorlage!

2 Das Blatt entlang der gestrichelten Linien falten! Es entstehen sechzehn kleine Quadrate.

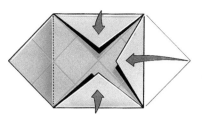

3 Die Rückseite (weiß, ohne Schrift) nach oben drehen und die Ecken zur Mitte umklappen! Die beschrifteten Flächen sind jetzt außen.

4 Das gefaltete Blatt umdrehen und die Ecken wieder zur Mitte umklappen.

5 Die Mitte eindrücken! Die Figur ist jetzt fertig: Alle mit Zahlen beschrifteten Flächen sind jetzt außen – die Symbole sind innen.

6 Zum Spielbeginn die Finger beider Hände in die Höhlen stecken und die vier Ecken so zusammenschließen, daß nur noch die Zahlen sichtbar sind.

Wie spielt man *Himmel und Hölle*?

Hartmut und Sonja zeigen ein Beispiel:

Hartmut: Welche Zahl?
Sonja: Drei.
Hartmut: Eins, zwei, drei.
◁ (Zeigt Sonja die Bilder)
Sonja: (Sucht ein Bild aus)
Ja, wie komme ich zum Schloß, bitte? ▷

Hartmut: (Öffnet die Klappe)
◁ Gehen Sie nach rechts.

Sonja: (Schreibt die Antwort auf.)
Also, ich gehe nach rechts, und es sind drei Minuten zu Fuß?
▽

△
Hartmut: Ja, richtig.
Sonja: Danke schön.
Hartmut: Auf Wiedersehen.

. . . und jetzt ist Sonja dran.

Symbole

der Campingplatz

zu Fuß

die Kirche

die erste
Straße links

das Schloß

mit dem Motorrad

der Bahnhof

D B

die erste Straße rechts

der Fußballplatz

links

rechts

das Schwimmbad

die zweite
Straße links

mit dem Auto

geradeaus

die Apotheke

die zweite
Straße rechts

mit dem Fahrrad

und dann

die Disco

über die Kreuzung

Du kannst dieses Spiel benutzen, um diese
Tabelle auszufüllen.

Wie komme ich . . .	Hinweise?	Wie weit?

zum   **Campingplatz**
      Bahnhof
      Fußballplatz
      Schloß
      Schwimmbad
 	
zur   **Kirche**
      Disco
      Apotheke		

C Was kann man in Herrenberg machen?

C 1

Andreas Mutter arbeitet am Verkehrsamt. Sie hat ein Quiz für Touristen gemacht. Björn und Andrea machen das Quiz. Kannst du es auch lösen? Wo kann man diese Sachen machen? Welches Bild paßt zu welchem Satz?

die Tennisanlage

die Stadtbücherei

die Telefonzelle

der Marktplatz

die Stiftskirche

der Bahnhof

Welche Aussage paßt zu welchem Bild?

1 Man kann hier billig einkaufen.
2 Man kann hier Tennis spielen.
3 Man kann hier telefonieren.
4 Man kann hier den Zug nehmen.
5 Man kann hier ein Fußballspiel sehen.
6 Man kann hier das Auto parken.
7 Man kann hier schwimmen gehen.
8 Man kann hier Bücher lesen.
9 Man kann hier Englisch, Mathe, Geschichte usw. lernen.
10 Man kann hier beten.

das Stadion

der Parkplatz

das Freibad

die Schule

C2

Was kann man machen, wenn es regnet? Björn hat ein besseres Quiz gemacht! Es ist sehr blöd! Welche Fragen auf dieser Seite passen mit den Autworten auf der Seite gegenüber zusammen?

Zum Beispiel:

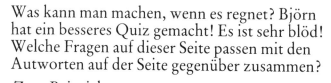

Was kann man machen, wenn es regnet?

Man kann singen!

1 Was kann man im Dunkeln machen?

2 Was kann man im Kino machen?

3 Was kann man im Zoo machen?

4 Was kann man im Klo machen?

5 Was kann man in den Ferien machen?

a Man kann die Zeitung lesen!

b Man kann das Licht anmachen!

c Man kann die Familie besuchen!

d Man kann Popcorn werfen!

e Man kann schlafen!

Was kann man machen?		
Was kann man in	Herrenberg London der Stadt	machen?
Man kann	spazieren- einkaufen	gehen
	Fußball Tennis	spielen
	radfahren	

D Herrenberg: historisch, heiter, herzlich

HERRENBERG

> Björn hat diese Information von Andreas Mutter bekommen. Wieviel kannst du verstehen?

Unverwechselbar ist Herrenberg. Sein markantes Gesicht, die gewaltige Stiftskirche auf mächtiger Terrasse in halber Höhe des Schloßbergs, ist zum Wahrzeichen der Stadt geworden. Was einmal vor tausend Jahren unser Land formte, die Dreiheit von Adel, Kirche und Bürgertum, ist auch heute noch auf einen Blick in der Stadtanlage ablesbar. Der Markt mit dem schönen Brunnen, das Rathaus und die alte Vogtei, zahlreiche Fachwerkhäuser, schmale Gäßchen und Staffeln und die verwinkelten Hinterhöfe zeugen von einer reichen und bewegten Vergangenheit. Krönung und Schmuck ist die von 1276 bis 1293 erbaute prachtvolle Stiftskirche, die ihre Vollendung von 1470 bis 1493 erlebte und 1982 nach mehr als 10jähriger Renovierung wieder neu geweiht wurde. Die alte Stadt ist mit ihren Fußgängerzonen und Fachgeschäften pulsierender Ausdruck der Bedeutung Herrenbergs als Zentralort für das Gäu, die Landschaft zwischen Schwarzwald und Schönbuch.

Geschichte

Entstanden ist Herrenberg um 1200 bis 1280 durch die Zusammenlegung der beiden Dorfmarkungen Reistingen und Mühlhausen und die kurzfristige Umsiedlung ihrer Einwohner an den „Herrenberg"

1228 – erste urkundliche Erwähnung der Burg Herrenberg

1271 – erste Erwähnung der „Stadt" Herrenberg

1276–1293 – 1. Bauabschnitt der Stiftskirche St. Marien

1382 – Übergang aus pfalzgräflichem Besitz an „Wirtemberg"

1470–1493 – 2. Bauabschnitt der Stiftskirche St. Marien

1558 – Geburtsjahr des Baumeisters Heinrich Schickhardt (1558–1634)

1759 – Amtsstadt

1806 – Oberamtsstadt

1930–1938 – Kreisstadt

1960 – Städtepartnerschaft mit Tarare (Rhône)/Frankreich

1965 – Eingliederung von Affstätt

1971–1972 – Eingliederung von Haslach, Kayh, Mönchberg, Kuppingen und Oberjesingen

1974 – Herrenberg wird Große Kreisstadt

1989 – Städtepartnerschaft mit Fidenza (Provinz Parma)/Italien

Sehenswürdigkeiten

Stiftskirche

Wahrzeichen der Stadt ist die Stiftskirche (1276–1493). Mit Recht gilt diese gotische Hallenkirche als eine der schönsten Kirchen im Lande. Öffnungszeiten: 13–17 Uhr außer montags. Führungen: Fremdenverkehrsamt Telefon (07032) 14224.

Altstadt mit Marktplatz, Marktbrunnen und Rathaus

Ein Kleinod mittelalterlicher Stadtbaukunst wurde Herrenberg einmal genannt. Was einmal unser Land formte, die Dreiheit von Adel, Kirche und Bürgertum, ist hier in genial knappster Form gegliedert und auf einen Blick ablesbar. Führungen: Fremdenverkehrsamt, Tel. (07032) 14224.

Stiftsfruchtkasten

Unter den Häusern der Tübinger Straße fällt der ehemalige Stiftsfruchtkasten, direkt an der Mauer gelegen, besonders auf. Über den gemauerten Untergeschossen, die einst die herrschaftliche Kelter bargen, erheben sich fünf Geschosse in Fachwerkkonstruktion. Der Fruchtkasten wurde 1683–1684 erbaut.

noch das rundgemauerte Verlies. Zum Schloß gehörten u.a. ein Wirtschaftsgebäude mit zwei Kellern (der untere ist heute Gaststätte), ein Palas, ein zweiter großer Turm (Bergfried), der in die östliche Schildmauer mit einbezogen war und an diese anschließend Ringmauern, die von einer Zwingermauer umfangen waren.

Historischer Rundgang

Fachwerkbauten der Altstadt, Marktplatz und -brunnen, Rathaus, Oberamt, Bebenhäuser Klosterhof, Schloßbergturm, Stadtmauer (Wehrgänge, Zinnen, Schieß- und Beobachtungsscharten), Hagtor, Dekanat, Fruchtkasten. Info-Broschüre: Fremdenverkehrsamt, Telefon (07032) 14224, Preis: DM 1,50

Der Herrenberger Marktplatz (links). Weithin sichtbar im Gäu: die Stiftskirche St. Marien (unten).

Schloßbergturm

Der Schloßbergaussichtsturm steht auf dem Stumpf des früheren Pulverturmes des Schlosses. In diesem tief in den Berg reichenden Teil befindet sich

Kulturelle Einrichtungen

Volkshochschule

Tübinger Straße 40, Telefon (07032) 14343. Die Volkshochschule bietet im Jahr etwa 1700 Veranstaltungen

Zentralort im Gäu am Fuße des Schönbuchs

(Kunstschule, Jugendkunstschule, Theaterabende, Lesungen, Gesprächskurse, Märchengrotte, Kommunales Kino etc.) an, die von ca. 28 000 Teilnehmern besucht werden.

Musikschule

Bismarckstraße 9, Telefon (070 32) 1 43 41. Die Musikschule zeichnet verantwortlich für Organisation und Durchführung der Konzerte der Stadt Herrenberg (in der Regel ein Konzert monatlich).

Stadtbücherei

Bahnhofstraße 2, Telefon (070 32) 1 43 45. Rund 33 000 Medien (Bücher, Spiele, Zeitschriften, Tonkassetten, CDs etc.). Di – Fr 10 – 13 und 15 – 18.30 Uhr, Sa 10 – 13 Uhr.

Am Fuße der Stiftskirche: die Herrenberger Altstadt

Galerien

„Die Facette", Stuttgarter Straße 3.
Galerie „Györfi", Schuhgasse 2.
Galerie der Stadt, Marktplatz 1.
Galerie der Volkshochschule, Tübinger Straße 40.

Hallenbad

Längenholz 3, Telefon (07 0 32) 14-363. Di + Mi, 6 – 7.45, 13 – 21 Uhr, Do, 6 – 7.45, 10 – 21 Uhr, –Fr, 6 – 7.45, 14 – 21 Uhr, Sa, 7.30 – 18 Uhr, So, 7.30 – 13 Uhr. Eintritt: Kinder DM 2,50, Erwachsene DM 3,50.

Freibad

Aischbachstraße, Telefon (07 0 32) 14-356. Öffnungszeiten: in der Regel von Mai bis September jeweils ab 7 Uhr bis zum Einbruch der Dämmerung (bei schönem Wetter). Eintritt: Kinder DM 1,–, Erwachsene DM 2,–.

Spielplätze und Einrichtungen der Naherholung

Eine Vielzahl von Kinderspielplätzen und Bolzplätzen sind über das ganze Stadtgebiet verteilt. Besonders den Erwachsenen dient das Freizeitzentrum Jahnhütte auf dem Alten Rain. Von diesem Naherholungsbereich gehen eine Vielzahl von Wanderungen aus durch das ganze Waldgebiet des Schönbuchs; dazu gehören ein Trimm-Dich-Pfad, das Naturfreundehaus (ganzjährig bewirtschaftet) und das Wildgehege unmittelbar neben dem Waldfriedhof.

Schießsportanlage

Schützenverein Mönchberg, Kappstraße 2, Telefon (07 0 32) 7 27 99.

Reithallen

Reit- und Fahrverein Herrenberg e. V., Stadthallenstraße 17, Telefon (07 0 32) 70 47
TV-Reitgemeinschaft Gültstein, Tailfinger Str. 30, Telefon (07 0 32) 30 64

Tennisplätze/Tennishallen

Tennisclub Herrenberg, Uhlandstraße 10, Telefon (070 32) 61 20.

Veranstaltungen

Februar	Fasnachtsdienstag: Krämer-, Vieh-, Schweinemarkt, Zuchtpferdeschau
März	Autotage
April	Frühlingsfest
Mai	Di vor Pfingsten: Pfingstmarkt mit Krämer-, Vieh-, Schweinemarkt
	Stadtfest (Marktplatz)
Juli (1.Sa)	Straßengalerie
Juli/August	Herrenberger Ferienspaß
	Orgelsommer in der Stiftskirche
September	Herrenberger Musiktage der Stadtkapelle
	Herbstmarkt: Krämer-, Vieh-, Schweinemarkt
Dezember	Christkindlesmarkt
	2-tägiger Weihnachtsmarkt (Marktplatz)
	Weihnachtssingen mit Chören auf dem Marktplatz

HERRENBERG

d 1

Andreas Mutter muß viele Fragen im Verkehrsamt beantworten. Aber welche ihrer Aussagen sind hier richtig, und welche sind falsch? Sieh auf Seite 158 und 159.

1 Die Stiftskirche ist um drei Uhr nachmittags geschlossen.
2 Der Fruchtkasten wurde 1685 erbaut.
3 Beim historischen Rundgang sieht man den Marktplatz, den Bebenhäuser Klosterhof und das Haagtor.
4 Die Musikschule hat monatlich ein Konzert.
5 Die Stadtbücherei hat rund dreiunddreißigtausend Medien.
6 Anna ist acht. Sie geht oft schwimmen. Der Eintritt kostet eine Mark.
7 Der Tennisplatz ist in der Bismarckstraße.
8 Die Telefonnummer des Verkehrsamtes ist eins, vier, zwei, zwei, vier.

d 2

Hier sind Fotos von einigen Sonderveranstaltungen, aber in welchem Monat finden sie statt? Sieh auf Seite 159.

1 Pfingsten

2 Musikfest

3 Automobilsalon

4 Straßengalerie

5 Weihnachtsmarkt

6 Faschingsdienstag

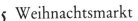

Februar	Dezember
Juli	März
September	April
Mai	Juli/August

7 Volksfest

Zusammenfassung   *Was habe ich gelernt?*

Wenn du fertig bist, mach einen Haken! Wenn du nicht fertig bist, versuch's noch einmal.

	Prima	Gut	Nicht sehr gut	Seite
Ich kann fragen:				
1 Was gibt es hier?				140
2 Wie komme ich zum/zur . . . ?				151
3 Was kann man hier machen?				157
Ich kann sagen:				
4 Es gibt einen Markt/eine Kirche/ein Kino usw.				140
5 Nehmen Sie die erste Straße links/rechts usw.				147
6 Gehen Sie geradeaus usw.				147
7 Man kann hier Tennis spielen/schwimmen gehen usw.				155

10 Einkaufen

A Geschenke

a1 Was für Geschenke?

1 der Pulli — DM 50.90
die Ohrringe — DM 11.60
2
3 der Schal — DM 27.50
4 der Teddybär — DM 42.70
der Bierkrug 6 — DM 6.50
5 die Blumen — DM 9.30
7 der Gummiknochen — DM 3.45
das Poster — DM 24.80
für peru
8 die Pralinen — DM 8.50
9 die Platte
10 das Poster
11 die Socken — DM 6,-

a2 Geschenke – rate mal, was Björn aus Hamburg mitgebracht hat.

1
2
3
4
5
6

a 3 Hör gut zu! Was für Geschenke haben die
Schüler der 7a neulich bekommen?

Name	Geschenke
1 Oliver	
2 Sabine	
3 Andrea	
4 Tanja	
5 Florian	

a 4 Was kaufe ich für meine Mutter?

Björn hat seine Einkaufsliste geschrieben, aber
leider hat er seine Meinung geändert. Hör gut zu
und schreib seine neue Liste.

Was würdest du für deine Familie kaufen?
Schreib eine Liste, so wie Björn es gemacht hat!

Geschenke

Mutti – Ohrringe
Andenken

Stiefvater – Roman
Pralinen

Anna – Schal
Kuli

Peter – Platte/CD
Radiergummi

Basi – Gummiknochen
Schokolade

a 5 Wörtersalat. Welche Geschenke findest du hier?

M	I	T	T	U	C	E	I	Ö	E	N	I	Z	E	O	P	C
O	E	Ä	S	C	H	O	K	O	L	A	D	E	N	I	G	O
P	R	A	L	I	N	E	N	H	G	E	R	B	A	O	U	D
Ö	A	N	O	Ä	F	Ö	G	R	O	P	T	P	Ä	N	M	S
P	D	R	C	I	D	E	S	O	C	K	E	N	S	P	M	W
E	I	D	Ä	B	Ö	R	S	M	S	M	D	S	H	I	I	O
N	E	I	M	I	Z	N	I	A	M	P	D	A	I	S	K	L
H	R	X	O	H	R	R	I	N	G	E	Y	S	T	Ä	N	R
I	G	I	B	E	E	F	B	O	T	S	B	Ö	S	N	O	I
K	U	L	I	P	G	O	O	N	E	I	Ä	S	O	D	C	P
M	M	R	I	P	G	P	O	S	T	E	R	C	P	R	H	C
E	M	O	J	I	I	L	B	K	O	N	O	H	I	E	E	R
R	I	P	Ä	R	E	A	T	O	L	M	O	A	N	O	N	A
I	H	E	S	O	S	T	N	F	P	U	L	L	I	W	L	T
B	L	U	M	E	N	T	U	S	U	S	K	E	P	Ä	C	O
S	O	P	P	N	B	E	C	H	E	R	N	G	O	P	T	I

B Wie fahren wir nach Stuttgart?

Wann fahren wir los?

Um halb zehn.

Das ist sehr früh!
Und wie fahren wir
nach Stuttgart?

Wir fahren mit
dem Bus.

mit dem Bus

 b₁ Wie fahren diese Leute – und wohin?

mit dem Flugzeug

mit dem Auto

zu Fuß

Hör gut zu und füll diese Tabelle aus.

mit der Bahn

	wie	wohin
1 Ich fahre		
2		
3		
4		
5		

b2

Am Busbahnhof.

Entschuldigen Sie bitte. Wann fährt
dieser Bus nach Stuttgart?

Um zehn Uhr zwanzig.

Gut. Zweimal nach Stuttgart, bitte.

**Das kostet vierzehn Mark
zwanzig. Hier sind eure
Karten. Schönen Tag noch!**

Danke. Gleichfalls.

Hör gut zu. Was kosten die folgenden
Fahrkarten?

1 Einmal nach Stuttgart, bitte.
2 Einmal nach Jettingen, bitte.
3 Einmal nach Kuppingen, bitte.
4 Einmal nach Tübingen, bitte.

5 Einmal nach Wildberg, bitte.
6 Zweimal nach Deckenpfronn, bitte.
7 Dreimal nach Freudenstadt, bitte.
8 Viermal nach Oberjesingen, bitte.

Busfahrpreise		
Einzelfahrt	Kind	Erwach-sener
Herrenberg – Deckenpfronn	1,50	2,90
Herrenberg – Sulz	1,60	3,20
Herrenberg – Oberjesingen	1,80	2,90
Herrenberg – Mötzingen	2,30	4,60
Herrenberg – Bondorf	2,00	4,00
Herrenberg – Gärtringen	1,40	2,80
Herrenberg – Kuppingen	1,20	2,40
Herrenberg – Nebringen	1,40	2,80
Herrenberg – Jettingen	1,60	3,20

b3

Hilfe! Eine Gruppe Engländer kommt in
Herrenberg an. Sie sprechen kein Deutsch. Sie
wollen Fahrkarten kaufen. Kannst du ihnen
helfen? Sieh dir diese Preisliste links an.

*b*4 Hier ist der Fahrplan der Buslinie zwischen Freudenstadt, Herrenberg und Böblingen. Kannst du diesen Leuten helfen? Wann fährt der nächste Bus?

| 7 | Freudenstadt – Herrenberg – Böblingen (– Stuttgart) | | | | | | | | | | | | | | | RVS (7938) | |

					⑨									①	①		
Freudenstadt Stadtbf. (ZOB)					†7.20	✗7.48	✗9.18	† 9.35	†11.35	Ⓐ12.50	Ⓐ12.53			Ⓐ18.24		©18.35
Freudenstadt Marktplatz					)7.23	)7.51	)9.22	)9.37	)11.37	12.53	13.00			)18.27		18.37
Herzogsweiler Hirsch					)7.39	)8.09	)9.39	)9.50	)11.50	13.09	13.09			)18.43		18.50
Pfalzgrafenweiler-Durrweiler					)7.41	)8.11	)9.41	)9.53	)11.53	13.11	13.11			)18.45		18.53
Egenhausen Rathaus					)7.57	)8.27	)9.57	)10.09	)12.09	13.27	13.27			)19.01	Ⓐ ✦	19.09
Altensteig Marktplatz	Ⓐ5.28	Ⓐ6.45		✗7.30	)8.05	)8.35	)10.05	)10.18	)12.18	13.35	13.35	Ⓐ15.30	)19.09	19.14	19.18	Ⓐ20.15
Ebhausen Erlesteg	)5.39	)6.58	)7.02	)7.52	)8.21	)8.51	)10.21	)10.31	)12.31	13.46	13.46	15.41		19.28	19.31	20.26
Rohrdorf Auto Gamp	)5.44	)7.02	)7.06	)7.56	)8.26	)8.56	)10.26	)10.36	)12.36	13.51	13.51	15.46		19.32	19.36	20.30
Jettingen-Oberj. Marktplatz	)5.59		)7.29	)8.14	)8.44	)9.14	)10.44	)10.57	)12.57	14.09	14.09	16.14		19.49	19.59	20.48
Herrenberg Berliner Straße	)6.07		)7.37	)8.22	)8.52	)9.22	)10.52	)11.05	)13.05	14.17	14.17	16.22		19.56	20.07	20.57
Herrenberg Bahnhof	○ Ⓐ6.13		Ⓐ7.44							14.21	14.21					Ⓐ20.59
– Bronntor	○			)8.24	)8.54	)9.24	)10.54	)11.07	)13.07	14.24	14.24	16.24		19.58	20.09	
Stuttgart Bbf. (S-Bahn) tief	○				✗9.18	9.48	✗10.18	11.48			14.18	15.18	15.18	17.18	20.48	21.18
Stuttgart Hbf.	○ Ⓐ6.57		Ⓐ8.29						12.20							⑤21.43

Ⓐ = ✗ außer ⑥   Ⓚ = ✗. jedoch ⑥ nur an Schultagen   ⑧ = nicht 24., 31. XII.
Ⓑ = täglich außer ⑥   ○ = an   ⑨ = nicht 25. XII., 1. I.
© = ⑥ und †   Ⓢ = S-Bahn   ⑩ = nicht 25., 26. XII., 1. I.

1 Ich bin in Freudenstadt am Zentralen Omnibusbahnhof (ZOB). Es ist Viertel nach neun. Wann fäh
der nächste Bus nach Herrenberg Bronntor?
2 Ich bin in Ebhausen. Es ist Mittag. Wann fährt der nächste Bus nach Jettingen-Oberjettingen?
3 Ich bin am Marktplatz Altensteig. Es ist acht Uhr abends. Wann fährt der nächste Bus nach Herrenbe
4 Ich bin am Bahnhof Herrenberg. Es ist sechs Uhr früh. Wann fährt der nächste Bus nach Stuttgart?

Verkehrsfragen			
Wie	fahren wir fahre ich fährst du	nach	Deutschland? England? Hamburg? Stuttgart?
Mit dem	Bus Taxi Rad Flugzeug Auto		
Mit der	Bahn		
Zu Fuß			
Wann	fahren wir fährt der Bus fährt die Bahn	nach	Herrenberg? München? Hamburg?
Der (nächste) Bus Er		fährt	um drei Uhr um halb eins
Wir		fahren	um 16.47

b5 Kannst du dieses Rätsel lösen und Dialoge bilden?

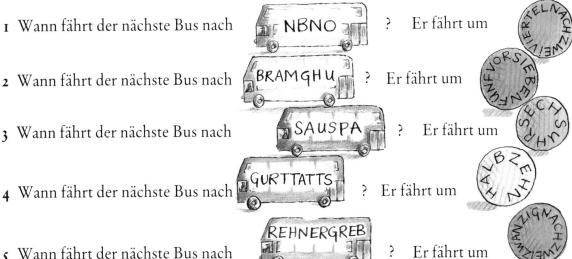

1 Wann fährt der nächste Bus nach [NBNO] ? Er fährt um

2 Wann fährt der nächste Bus nach [BRAMGHU] ? Er fährt um

3 Wann fährt der nächste Bus nach [SAUSPA] ? Er fährt um

4 Wann fährt der nächste Bus nach [GURTTATTS] ? Er fährt um

5 Wann fährt der nächste Bus nach [REHNERGREB] ? Er fährt um

C Was kann man in Stuttgart machen?

c1 Stuttgart-Spiel! Kyriakos kommt ursprünglich aus Griechenland. Er fährt heute mit dem Zug nach Stuttgart. Er macht einen Stadtrundgang mit den Hinweisen seines Freundes Dimitrios. Dimitrios hat aber vergessen, die Namen der Gebäude aufzuschreiben. Kannst du Kyriakos helfen? Sieh auf Seite 168 und 169.

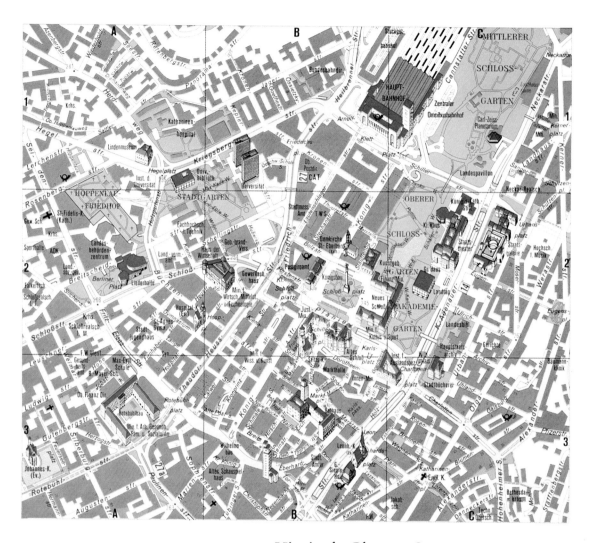

Hier ist der Plan von Stuttgart.

Zuerst gehst du aus dem Bahnhof, und du gehst nach links in die Schillerstraße. Dann gehst du sofort nach links in den Schloßgarten. Dort findest du **Nummer 1**.

Dann kommst du aus dem Schloßgarten in die Neckarstraße. Du gehst nach rechts und dann geradeaus in die Konrad-Adenauer-Straße. Auf der rechten Seite ist die **Nummer 2**.

Du kommst in die Konrad-Adenauer-Straße zurück, und du gehst nach rechts. Am Charlottenplatz gehst du nach rechts bis zum Karlsplatz. Dort siehst du **Nummer 3** vor dir.

Du gehst nach links in die Münzstraße. Du gehst geradeaus bis zum Marktplatz. Die **Nummer 4** ist geradeaus vor dir.

Du gehst nach rechts in die Schulstraße. Du gehst geradeaus, über die Königstraße in die Büchsenstraße und immer geradeaus bis zur Schloßstraße. Die **Nummer 5** ist am Berliner Platz, an der Ecke.

Du gehst geradeaus, die Holzgartenstraße entlang, bis zum Hegelplatz. Die **Nummer 6** ist vor dir, an der Ecke.

Dann fährst du mit dem Bus zum Bahnhof zurück!

Kannst du jetzt sagen: Welche Nummer ist . . .

a . . . das Lindenmuseum?
b . . . das Rathaus?
c . . . das Staatstheater?
d . . . die Liederhalle?
e . . . das alte Schloß?
f . . . das Planetarium?

_C 2_ Stuttgart liegt nicht weit von Herrenberg und ist die größte Stadt in der Nähe. Stuttgart ist die Hauptstadt des Landes Baden-Württemberg in Südwestdeutschland. Der Neckar fließt durch Baden-Württemberg und durch die Stadt Stuttgart.

Björn und Andrea sind am Verkehrsamt in Stuttgart. Sie haben viele Informationen über Stuttgart bekommen. Was kann man machen? Sieh auf Seite 170.

1 Man kann einkaufen gehen.

2 Man kann ins Museum gehen.

Schwäbisches Brauereimuseum Stuttgart

4 Man kann in die Kunstgalerie gehen.

3 Man kann ins Theater gehen.

5 Man kann das neue Schloß besichtigen.

6 Man kann den Fernsehturm besichtigen.

8 Man kann ins Konzert gehen.

7 Man kann ein Fußballspiel sehen (der VfB Stuttgart – und manchmal die Stuttgarter Kickers – spielen im Neckarstadion).

D Horten

Björn und Andrea sind in Stuttgart.

Hier ist Horten. Horten ist ein großes Kaufhaus, typisch für Deutschland. Man kann hier gut einkaufen.

*d*1

Björn und Andrea sind im Kaufhaus. Björn sucht seine Geschenke. Aber wo kann man alles finden?

*d*2

Viele Leute kaufen bei Horten ein. Sie möchten wissen, wo alles ist. Kannst du ihnen helfen? Schau auf den Hauswegweiser.

1 Wo kann ich die Platten finden? Die Platten sind im ....

2 Wo kann ich die Krawatten finden? Die Krawatten sind im

....

3 Entschuldigung, wo kann ich Süßwaren kaufen? Die Süßwaren sind im ....

4 Wo kann ich Tennisschläger kaufen? Die Tennisschläger sind im

....

d₃ Hör gut zu! Was suchen die folgenden Leute? Wo finden sie die Sachen?

	Was?	Wo?
1		
2		
3		
4		
5		

E Was kostet das?

e₁ Kannst du dieses Rätsel lösen und den Preis dieser Geschenkartikel finden?

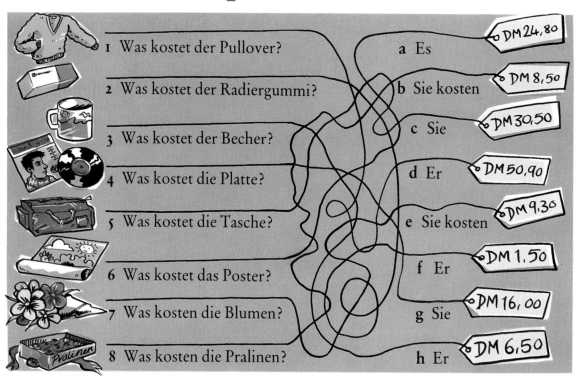

e₂ Sonderangebot bei Ratio! Auf der anderen Seite der Straße steht das Warenhaus Ratio. Sieh dir die Reklame auf Seite 173 genau an. Was kosten die folgenden Artikel?

Zum Beispiel:

1 Was kostet der Jogginganzug?
Er kostet 59.95 DM.

2 Was kostet der Amiga-500-Computer?

3 Was kostet eine Flasche *Nivea Milk*?

4 Was kostet das Öl?

5 Was kostet das Rudergerät?

6 Was kosten die Trainingsschuhe?

Jetzt denkt euch eigene Fragen aus!

e 3

Preissenkung! Hör gut zu.
Was kosten diese Sachen *nach* der
Preissenkung?

**I   ME Drahtloser
Babysitter**
„DBS 101", die ideale Raum-
überwachung, natürliche
Sprach- bzw. Geräuschüber-
tragung, ohne Installation sofort
betriebsbereit von Steckdose zu
Steckdose, von Raum zu Raum,
von Etage zu Etage, einstellbare
Ansprechautomatik mit Kontroll-
leuchte, Paar

49.⁹⁵

2   Fuji Videocassette
E 240 HQ, 4 Std. Spielzeit

10.⁹⁵

**4   Moulinex
Dampfbügelautomat**
„Vario Plus 3300", extra
gehärtete Chromsohle,
automatische Dampfregulie-
rung, Spray oder Dampfstoß,
transparenter Wassertank,
1600 Watt Leistung

77.⁹⁵

**3
Progress
Mikrowellengerät**
„P 4050", 700 Watt Mikrowellenleistung,
10 Leistungsstufen, 3 Gewichtsautomatik-
Programme für optimales Auftauen,
23,3-l-Garraum

249.⁰⁰

**5   Anitech
Farbfernseh-Portable**
„M 3705", 37-cm-Bildschirm, 99 Kanäle,
12 Programmspeicherplätze, Kopfhörer-
Anschluß, Infrarot-Fernbedienung

349.⁰⁰

**6
Severin Kaffeeautomat**
„KA 5505/15/18", für 8 Tassen, hängender
Filter 1x4, Tropfverschluß, Schalter mit
Kontrolleuchte, Kabelaufwicklung,
Gehäuse in Rot, Weiß oder Braun

**7
HCM Uhrenradio**
„DCR 295", UKW/MW,
Einschlaf- und Intervall-
Weckautomatik, Gang-
reserve

14.⁹⁵

37.⁹⁵

8   Orion Videorecorder
„VH 897 RC", High-Quality-System, Timer für 8 Pro-
gramme in 28 Tagen, Kabeltuner, 100 Programmplätze,
Infrarot-Fernbedienung

549.⁰⁰

RATIO®

Warenhaus *da kauf' ich ein!*

Preisfragen		
Was kostet	**der** Pullover? **die** Tasche? **das** Poster?	**Er** kostet ... **Sie** kostet ... **Es** kostet ...
Was kost**en**	**die** Blumen?	**Sie** kosten ...

F Ich möchte etwas

Entschuldigung! Ich möchte einen Kuli kaufen. Was kostet er?

Er kostet zwei Mark.

Gut. Den nehme ich!

Gehen Sie an die Kasse!

*f*1 Hör gut zu! Diese Leute stehen bei Horten Schlange. Wie heißen sie? Was möchten sie kaufen? Wo haben sie den Artikel gefunden?

	Name	Was?	Wo?
1 2 3 4 5 6	🚫✏️	🚫✏️	🚫✏️

Zum Beispiel:

Björn: Ich möchte eine Platte
            kaufen. Was kostet sie?
Andrea: Sie kostet zwölf Mark.

f2   **Kartenspiel für kleine Gruppen!**

Du kannst so viele Karten nehmen, wie du willst, aber du hast nur fünfzig Mark. Wer kann die meisten Geschenke kaufen, ohne zuviel Geld auszugeben?

Auf einer Seite steht ein Bild eines Geschenks. Auf der Rückseite steht der Preis.

Björn: Ich möchte einen Schal.
            Was kostet er?
Andrea: Er kostet fünfund-
            zwanzig Mark.

Björn: Ich möchte
            Blumen kaufen.
            Was kosten sie?
Andrea: Sie kosten
            sechzehn Mark.

Björn: Das ist zuviel! Du
            bist dran.

f3   Die anderen möchten aber nicht einkaufen gehen. Was möchten sie machen? Kannst du die Sprechblasen ausfüllen?

1   2   3   4   5

Ich möchte etwas kaufen		
Ich möchte	einen/den Schal eine/die Platte ein/das Buch die Pralinen	kaufen.

G Welche Farbe?

Björn kauft eine Zeitschrift für seine kleine Schwester. Sie heißt Anke. Ankes Lieblings-comic-held ist *Drops, der kleine Hund.*

g 1   Drops sieht rot, aber Björns Lieblingsfarbe ist grün. Welche Farbe ist deine Lieblingsfarbe? Wir haben unsere Freunde aus der Klasse 7a gefragt. Was haben sie gesagt?

Lieblingsfarbe
1
2
3
4
5
6

g 2   Kennst du das englische Lied *Drei blinde Mäuse*? Hier ist das gleiche Lied, nur die Wörter sind etwas anders. Kannst du es als Kanon singen?

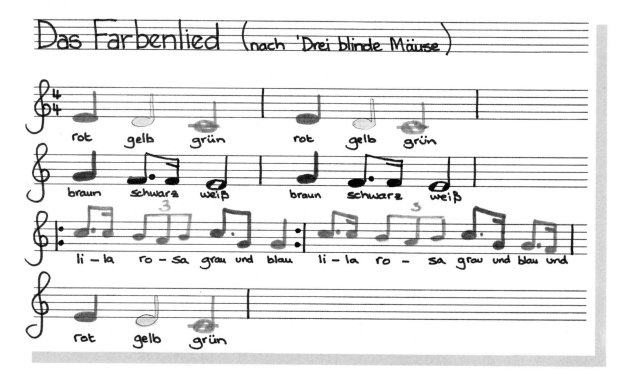

g3 Kannst du dieses Smarties-Rätsel lösen?

g4 Welche Farbe ist die Lieblingsfarbe deiner Mutter? Björn möchte einen Schal für seine Mutter kaufen. Aber welche Farbe kauft er? Kannst du ihm helfen, die Wörter zu ordnen?

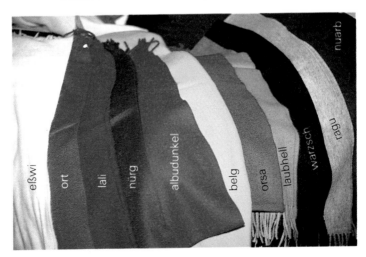

Ich habe einen Schal für meine Mutter gekauft.
Der Schal ist grün. Er hat zwölf Mark gekostet.

g5   Kannst du dieses Bild mit Farben füllen?

eins = gelb   zwei = rot   drei = dunkelgrün
vier = lila   fünf = braun   sechs = orange
sieben = hellgrün   acht = rosa   neun = blau

H Was hat Björn gekauft?

h 1 Ich habe einen Schal für meine Mutter gekauft.
Was für Geschenke habe ich sonst gekauft?

1 Was habe ich für meinen Stiefvater gekauft?
Es ist rot und hat elf Mark sechzig gekostet.
2 Was habe ich für meine Schwester gekauft?
Er ist grün und hat sieben Mark neunzig
gekostet.
3 Was habe ich für meinen Hund gekauft?
Es ist braun und hat drei Mark fünfundvierzig
gekostet.

h_2

Hör gut zu. Was haben die folgenden Leute gekauft? Für wen? Was hat es gekostet?

	Artikel	Für wen	Preis
1			
2			
3			
4			
5			
6			

Zusammenfassung   *Was habe ich gelernt?*

Wenn du fertig bist, mach einen Haken! Wenn du nicht fertig bist, versuch's noch einmal.

	Prima	Gut	Nicht sehr gut	Seite
Ich kann fragen:				
1 Wann fährt der nächste Bus nach . . . ?				**166**
2 Wo findet man . . . ?				**171**
3 Was kostet der/die/das . . . ?				**172**
Ich kann sagen:				
4 Ich möchte + Geschenk (einen Pullover/ eine Uhr/ein T-Shirt usw.)				**177**
Ich kenne:				
5 die Farben (rot/blau usw.)				**177**

11 Was möchtest du tun?

A Was möchtest du tun?

Möchtest du ins Kino gehen?

Nein, ich habe keine Lust dazu!

Möchtest du einkaufen gehen?

Nein, ich habe kein Geld!

Möchtest du Fußball spielen?

Nein, ich spiele nicht gern Fußball!

Möchtest du fernsehen?

Nein, ich habe keine Zeit! Ich muß meine Hausaufgaben machen!

Möchtest du kegeln gehen?

Nein, das gefällt mir nicht!

Möchtest du Schach spielen?

Tja, ich weiß nicht. Vielleicht . . .

Möchtest du Klavier spielen?

Nein. Ich kann nicht.

Also, was möchtest du tun?

Ich möchte nichts tun!

Toll! Gute Idee!

*a*₁

Hör gut zu. Du hörst sechs Dialoge. Was sind die Vorschläge? Was sind die Ausreden? Verbinde immer einen Vorschlag mit einer Ausrede.

Die Vorschläge	Die Ausreden
1 ins Kino gehen	a keine Zeit
2 in die Stadt gehen	b kein Geld
3 einen Ausflug machen	c keine Lust
4 Fußball spielen	d ich mache es nicht gern
5 fernsehen	e gefällt mir nicht
6 zu Hause bleiben	f muß in die Stadt gehen

a₂ Was sagen diese Leute?

a₃ **Spiel!** Arbeite mit einem Partner zusammen. Ihr braucht einen Würfel.

Partner A macht den *Vorschlag*. Er würfelt zweimal; wirft er zum Beispiel eine Vier und eine Drei, dann kommt er auf Feld 4C. Er muß den Partner dann fragen: ‚Möchtest du ins Kino gehen?‘.

Partner B reagiert. Er/sie würfelt, um seine/ihre Reaktion zu finden.

A Vorschlag

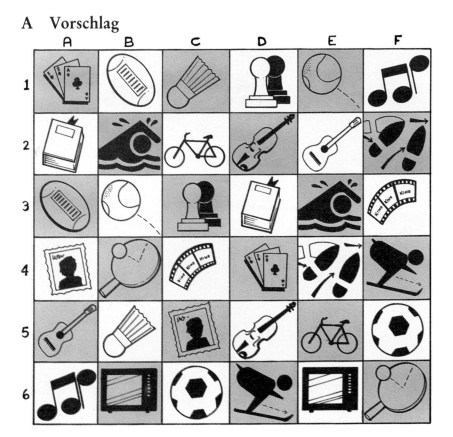

B Reaktion

1 Nein, ich habe keine Lust.
2 Nein, ich habe kein Geld.
3 Nein, ich habe keine Zeit. Ich muß meine Hausaufgaben machen.
4 Nein, ich habe keine Zeit. Ich muß meiner Mutter helfen.
5 Ja, toll, gute Idee!
6 Tja, ich weiß nicht . . .
  Vielleicht . . .

a5   Hör gut zu. Wir haben diese Gespräche falsch abgeschrieben. Kannst du sie verbessern?

1 Möchtest du Karten spielen?
Nein, danke. Ich habe keine Lust dazu. Ich würde lieber spazierengehen.

2 Wir könnten heute abend in die Disco gehen. Möchtest du?
Tja, ich weiß nicht. Ich würde lieber ins Theater gehen.

3 Möchtest du morgen eine Wanderung machen?
Nein. Ich würde lieber schwimmen gehen.

4 Möchtest du in die Stadt fahren? Wir könnten einkaufen gehen.
Nein. Ich würde lieber hier bleiben.

a 6

Du arbeitest mit einem Partner zusammen. Partner A ist sehr sportlich – er/sie möchte immer Sport treiben. Partner B ist sehr unsportlich und etwas faul. Er/sie hat keine Lust! Das Gespräch beginnt:

> Wir könnten skifahren gehen. Möchtest du?

> Nein, danke. Ich habe kein Geld. Ich würde lieber ein Buch lesen.

Erfindet jetzt den Rest des Gesprächs! Wieviel könnt ihr in dreißig Sekunden sagen?

Möchtest du etwas machen?				
Vorschlag			**Reaktion**	
Möchtest du	Fußball **spielen**? Karten **spielen**? Tennis **spielen**? Schach **spielen**? **fernsehen**? Musik **hören**?		Ich möchte	Fußball **spielen** Karten **spielen** Tennis **spielen** Schach **spielen** **fernsehen** Musik **hören**
	zu Hause **bleiben**? hier **bleiben**?		Ich muß	zu Hause **bleiben** hier **bleiben**
	in die Stadt **gehen**? ins Kino **gehen**? ins Theater **gehen**? einkaufen **gehen**?			in die Stadt **gehen** ins Kino **gehen** ins Theater **gehen** einkaufen **gehen**
	schwimmen **gehen**? spazieren**gehen**?		Ich würde lieber	schwimmen **gehen** spazieren**gehen**

B Hast du heute nachmittag Zeit?

Hier sehen wir Herrn Schnellermanns Terminkalender. Er hat keine Zeit – er hat es immer eilig und muß immer etwas tun. Er sagt seiner Kollegin, wann er Zeit hat.

		8 Uhr	9 Uhr	10 Uhr	11 Uhr	12 Uhr	13 Uhr	14 Uhr	15 Uhr	16 Uhr	17 Uhr	18 Uhr	19 Uhr	20 Uhr
Mo	4	Köln												
Di	5	Düsseldorf												
Mi	6				München									
Do	7	Frans Spitz												
Fr	8	Besprechung			Herr Michaelis					Bei Kurt				
Sa	9													
So	10													

,Am Montag und am Dienstag habe ich keine Zeit. Am Mittwoch muß ich am Nachmittag nach München; also habe ich von neun bis elf Zeit. Am Donnerstag habe ich ab drei Uhr Zeit, und am Freitag habe ich von vier bis fünf Uhr Zeit. Können Sie am Freitag um vier Uhr kommen?'

*b*₁ Hör gut zu. Wann haben diese Leute Zeit? Du hörst fünf Dialoge – wähle den richtigen Tag und die richtige Zeit aus.

Tag	Zeit
am Montag am Dienstag am Mittwoch am Donnerstag am Freitag am Samstag	von zwei bis drei um drei Uhr ab vier Uhr von zehn bis elf ab neun Uhr von fünf bis sechs Uhr ab acht Uhr um halb elf

*b*₂ Du arbeitest bei Siemens als Sekretärin. Du rufst die Sekretärin einer Kollegin an. Sie sagt, wann diese Kollegin frei hat. Du machst Notizen – wann können sich die zwei Kolleginnen treffen? (Unten siehst du den Terminkalender deiner Chefin.)

		8 Uhr	9 Uhr	10 Uhr	11 Uhr	12 Uhr	13 Uhr	14 Uhr	15 Uhr	16 Uhr	17 Uhr	18 Uhr	19 Uhr	20 Uhr
Mo	11	⊢Zahnarzt									17h30 Mama kommt			
Di	12		⊢Wien─		─⊢ ⊢─Konferenz─⊢						⊢Rückflug			
Mi	13		⊢Zeitungsinterview─⊢						⊢Tennis					
Do	14				⊢Restaurant horbar									
Fr	15		⊢Flughafen: Mr Smith								⊢Theater			
Sa	16													
So	17	Lottes Geburtstag												

*b*₃   Simulation. Du möchtest ins Kino gehen. Aber allein!!?? Nein! Du bekommst einen Terminkalender von deinem Lehrer/deiner Lehrerin. Benutze den Kalender, um jemand zu finden! Du mußt fragen: ,Wann hast du Zeit?' oder, Hast du Montag frei?' Viel Glück!

Wann hast du Zeit?		
Ich habe	um drei Uhr ab drei Uhr von drei bis vier am Montag am Dienstag am Mittwoch (usw.)	(keine) Zeit

C   Was machen wir, wenn es regnet?

Boris lernt Elena kennen – sie diskutieren über ihre Freizeitbeschäftigungen.

Ich bleibe zu Hause, wenn das Wetter schlecht ist.

Ich auch!

Ich gehe ins Kino, wenn es regnet.

Ich singe im Regen!

Ich gehe Skifahren, wenn es schneit.

Ich mache einen Schneemann.

Ich gehe schwimmen, wenn die Sonne im Sommer scheint.

Ich sonne mich!

Ich mache meine Hausaufgaben, wenn das Wetter nicht so gut ist.

Ich schaue ein Video an!

Ich fahre in die Berge und mache eine Wanderung, wenn es schön ist.

Ich fahre Rad!

Und du? Was machst du, wenn das Wetter schön ist?
Und was machst du, wenn es regnet oder wenn es schneit?

C1 Eine Gruppe aus dem Andreae-Gymnasium macht eine Umfrage zur Freizeit. Sie möchte wissen, was andere Schüler und Einwohner von Herrenberg im Winter und im Sommer machen. Hör gut zu, was diese Leute sagen:

Ich fahre im Sommer gern Rad, aber ich bleibe lieber zu Hause, wenn das Wetter schlecht ist, wenn es regnet.

Im Winter fahre ich sehr gern Ski, wenn es schneit, aber ich gehe lieber ins Kino, wenn es sehr kalt und windig ist.

Im Sommer mache ich sehr gern eine lange Wanderung, wenn es sonnig und warm ist. Ich gehe auch im Winter gern spazieren, wenn es schneit – die Landschaft ist so schön.

Im Sommer spiele ich sehr gern Fußball, wenn das Wetter schön ist. Aber ich sehe lieber fern, wenn es kalt und regnerisch ist – Fußballspielen im Winter macht mir keinen Spaß!

C2 Hör gut zu. Falsch oder richtig? Die Schüler aus Herrenberg haben die Aussagen auf Kassette aufgenommen. Wir haben aber einige Aussagen falsch aufgeschrieben – kannst du sie verbessern, wenn sie falsch sind?

1 Ich fahre immer Rad, wenn im Sommer das Wetter schön ist.
2 Wir fahren immer Ski, wenn es schneit.
3 Ich spiele gern Fußball, wenn das Wetter nicht schlecht ist.
4 Mein Vater bastelt gern, wenn das Wetter schlecht ist, aber ich gehe gern spazieren, wenn es regnet oder schneit.
5 Ich gehe ins Kino, wenn es sehr kalt oder regnerisch ist.
6 Wir bleiben zu Hause, wenn das Wetter nicht so gut ist.
7 Ich fahre gern Rad, wenn es schneit.
8 Ich spiele gern Federball, wenn es windig ist.

C3 Kannst du die richtige Bedingung (*Wenn-Satz*) für jedes Bild finden? Was paßt zusammen?

a Ich gehe gern ins Kino, . . .

b Ich lese gern, . . .

c Ich tue gar nichts, . . .

d Ich gehe gern einkaufen, . . .

e Ich gehe in die Disco, . . .

f Ich gehe angeln, . . .

g Ich gehe ins Konzert, . . .

h Ich spiele gern Gitarre in einer Band, . . .

Hier sind die Bedingungen:

1 . . . wenn meine Schwester nicht da ist.
2 . . . wenn keine Schule ist.
3 . . . wenn ich genug Geld habe.
4 . . . wenn ich Zeit habe.
5 . . . wenn ich krank bin.
6 . . . wenn ich sehr faul bin.
7 . . . wenn meine Mutter ‚Ja‘ sagt.
8 . . . wenn ich keine Hausaufgaben habe.

C4 Kannst du diese *Wenn-Sätze* auch üben? Du wählst eine Freizeitbeschäftigung von der linken Seite und eine Wetterart von der rechten Seite aus. (Du kannst auch einen Würfel benutzen.) Dein Partner ruft ‚Unsinn‘, wenn du etwas Dummes sagst!

1 Skifahren

a Regen

2 Spielkarten

b Gewitter

3 Einkaufen

c Sonnig

4 Spazierengehen

d Schnee

5 Radfahren

e Windig

6 Tennis

f Nebel

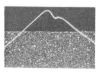

Du kannst die Sätze auch in dein Heft schreiben.

C5   Die Familie Schönlebe macht Skiurlaub im Allgäu (das liegt in Süddeutschland, an der österreichischen Grenze).

»Der Allgäu Stern«

»Der Allgäu Stern« auf der Staiger Alp, Sonthofen, der Geheimtip für erlebnisfrohe Menschen. Das neue Eldorado für optimales Club-Vergnügen. Eine Anlage, die auch den höchsten Ansprüchen genügt. Wohnen in angenehmer Atmosphäre, mit allen Annehmlichkeiten eines Komforthotels in gemütlich-komfortabel eingerichteten Hotel-Appartements. Viele Sport- und Freizeiteinrichtungen: Hallenbad, Kegelbahnen, Tennis, Nachtclub, Tagesbar, urige Bierstube, Restaurants, und das inmitten der Allgäuer Bergwelt. Im Sommer zahlreiche Wanderwege und ausgezeichnete Skipisten im Winter.

Was macht die Familie Schönlebe, wenn es nicht schneit?

Hör gut zu und füll diese Tabelle aus.

So wohnen Sie (für alle Programme):
»Der Allgäu Stern«: Hotelpark auf der Staiger Alp, Sonthofen. Alle Zimmer und Appartements mit Bad, WC, Balkon, Radio, Farb-TV, Telefon. Vierbett-App. mit Etagenbetten. Sechs Restaurants und Bars, Panorama-Hallenbad mit Whirlpool, Finnische Sauna, Fitneß-Center, Ladenpassage, Spielsalon. Bowling- und Kegelbahnen.

Name	Was sie machen
1 Herr Schönlebe	
2 Frau Schönlebe	
3 Susi Schönlebe	
4 Stefan Schönlebe	
5 Oma Schönlebe	

C 6

Andrea und Björn sprechen über das, was sie am nächsten Tag machen wollen.

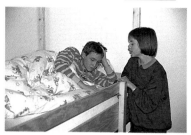

Möchtest du morgen einkaufen gehen oder angeln gehen oder was?

Ich würde lieber irgendwo mit dem Rad aufs Land fahren. Ich fahre so gern Rad.

Nein, ich habe keine Lust. Wir könnten vielleicht eine Wanderung machen.

Gute Idee! Kommt Oliver auch mit?

Ich weiß nicht. Wir rufen ihn an!

Hallo, Oliver. Hier Andrea. Wir gehen morgen wandern. Kommst du mit? Hast du Zeit?

Ja, ich habe Zeit. Das ist eine tolle Idee. Wann treffen wir uns?

Um zehn? Geht das?

Ja, das geht. Aber was machen wir, wenn es regnet?

Ich möchte ins Kino gehen. Und du?

Ja, klar! Wir gehen ins Kino.

C 7

Kannst du ein solches Gespräch mit einem Partner erfinden?

Einer macht die Vorschläge:	Möchtest du ... Wir könnten (vielleicht) ...
Der andere macht Gegenvorschläge:	Ich würde lieber ...
Man sagt auch:	Nein! Ich habe keine Lust dazu!
... und:	Ja. Tolle Idee!
Beide fragen:	Was machen wir, wenn es regnet/wenn es schön ist?

Die Landschaft um Herrenberg ist besonders
schön, vor allem auf der Schwäbischen Alb.

Es gibt Feuerstellen,
wo man im Sommer grillen kann. ▼

Hier kann man stundenlang ▲
wandern.

und auch das Schloß Lichtenstein. ▼

Hier findet man tiefe Höhlen ▼

Wenn-Sätze

Ich gehe einkaufen, ... Ich spiele Fußball, ... Ich mache eine Wanderung, ... Ich fahre nach Stuttgart, ... Ich fahre Ski, ...	wenn es **regnet**. wenn die Sonne **scheint**. wenn es **schneit**. wenn es bewölkt **ist**. wenn es naß **ist**. wenn das Wetter gut **ist**. wenn mein Bruder **kommt**. wenn ich viel Geld **habe**. wenn ich Zeit **habe**.

D Wie war's?

Am nächsten Tag kommen Andrea und Björn von ihrer Wanderung zurück. Andreas Mutter wartet auf sie:

Mutter: Na, wie war es?

Andrea: Prima. Das Wetter war fantastisch. Die Sonne hat den ganzen Tag geschienen. Das alte Schloß auf dem Berg gefällt mir gut – es war auch sehr interessant.

Björn: Es war totlangweilig. Gott sei Dank – ich hatte meinen Walkman dabei! Wie findest du Herbert Grönemeyer?

d₁

Hör gut zu. Wie findest du diese Musikgruppen? Du hörst von jeder Gruppe einen kurzen Ausschnitt eines Hits – schreib deine Meinung über jede Gruppe (prima, sehr gut, schön, toll, einfach klasse, nicht schlecht, schrecklich, furchtbar).

1 Nino de Angelo (*Doch Tränen wirst du niemals sehen*)

2 Volker Lechtenbrink (*Irgendwann*)

3 Hanne Haller (*Eine Wahnsinns-Love-Story*)

4 Udo Lindenberg (*Der Generalsekretär*)   **5** Die Flippers (*Mexico*)   **6** Maxi und Chris Garden (*Fried'n für die Teddybär'n*)

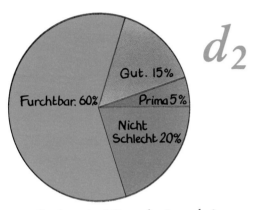

Gut. 15%
Furchtbar. 60%   Prima 5%
Nicht Schlecht 20%

Wie findest du Nino de Angelo?

d₂ Mach jetzt eine Umfrage. Frag zehn andere Schüler, wie sie diese Popgruppen finden. Du fragst: „Wie findest du Nino de Angelo?" oder „Wie gefällt dir Nino de Angelo?" Dann schreib die Ergebnisse auf.

Zum Beispiel: Ich finde Nino de Angelo ganz gut, aber sechzig Prozent der Klasse finden Nino de Angelo furchtbar.

Mach jetzt deine eigene Umfrage mit deinen eigenen Lieblingsgruppen.

Zusammenfassung *Was habe ich gelernt?*

Wenn du fertig bist, mach einen Haken! Wenn du nicht fertig bist, versuch's noch einmal.

	Prima	Gut	Nicht sehr gut	Seite
Ich kann fragen:				
1 Was möchtest du machen?				183
2 Hast du heute nachmittag Zeit?				188
3 Was machen wir, wenn es regnet?				190
4 Wie war's?				198
Ich kann sagen:				
5 Ich möchte . . . machen.				187
6 Ich würde lieber . . . machen.				187
7 Ich muß . . . machen.				187
8 Ich habe keine Zeit/keine Lust/kein Geld.				184
9 Ich habe um drei Uhr (usw.) Zeit.				190
10 Ich gehe ins Kino (usw.), wenn es regnet (usw.).				198
11 Es war (prima usw.).				198

12 Essen

A Ein Kilo Bananen

eine
Flasche
Wein

ein Kilo Kartoffeln

eine
Tüte
Bonbons

eine
Schachtel
Pralinen

eine Dose
Erbsen

200 g Schinken

ein Glas
Oliven

1 Pfund

ein Pfund Tomaten

a 1   Die Familie Marschall macht ein Picknick. Was
braucht sie? Hör gut zu.

Sie braucht:

ein Kilo ...
vier ...
200g ...
ein Pfund ...
eine Flasche ...
eine Tüte ...
100g ...
eine Dose ...
ein Glas ...

a₂ Frau Winter geht immer zum Big-Markt. Sieh dir diese Quittungen an.

```
    B I G
  TÜBINGEN

SAUERKRAUT        1,59
BIOMILD JOGH      1,44
BIOMILD JOGH      1,44
DICKMILCH         0,99
NAEHRMITTEL       1,99
ROLLENBUTTER      4,99
APRIKOSEN TR      7,65
SPEISEKART.       1,99
APOLLINARIS       7,79
PFAND             6,60
PAPRIKA GRUE      2,63
FELDSALAT         1,46
TOMATEN           4,13
CLEMENTINEN-      2,79
GRAPEFRUIT        1,99
CHAMPIGNON        0,80
CURRY             1,99
ZUCCHINI          1,86
WURST             9,76
WRIGL.KAUG.       1,89
FENCHEL           1,76
RINDFILET        14,44
HIMBEEREN TK      8,98
NAT.KÜRBIS        3,47
FRISCH-FISCH      8,97
ORANGEN-NAVE      2,49
PORREE            1,33
    2 x    1,29
ZWIEBELN I.       2,58
ZITRONEN          0,49
TAFELBIRNEN       3,53
SESAM             3,79
BANANEN           0,80
CHICOREE          2,49
GURKEN            0,99
EISSALAT   S      2,49
   10  x    0,34
BODENH.KL.1       3,40
                -------
  SUMME    DM   127,77
PFAND -          14,40-
                -------
  SUMME    DM   113,37
INCL. MWST 7,00   7,19
INCL. MWST 14,00  1,38
  GEGEBEN  DM   503,40
  RUECKGELD DM  390,03

KASSE:104 BED:000009 / 01925
DATUM:10.01.91 ZEIT:10.19.59

  IHR BIG-TEAM
  BEDANKT SICH
  . AUF WIEDERSEHEN
```

```
    B I G
  TÜBINGEN

APOLLINARIS       7,79
PFAND             6,60
OEL               3,59
ERBSEN S.F.       1,47
ERBSEN S.F.       1,47
VOLLK.ZWIEB.      1,79
PFAND             0,30
LANDMILCH         1,54
PFAND             0,30
   6  x    0,99
NAT.WASSER        5,94
RINDFLEISCH       1,99
RINDFLEISCH       1,99
RINDFLEISCH       1,99
RINDFLEISCH       1,99
ERBSEN/KAROT      1,09
ERBSEN/KAROT      1,09
CERA-FIX          6,89
OET.PUDDINGP      0,99
PUDDINGPULV.      0,99
PUDDINGPULV.      0,99
KONFITUERE        2,69
FERT.GERICHT      1,07
FERT.GERICHT      1,07
SPAGHETTI         1,09
SCHIRM           15,00
5 PATRONEN        5,99
EINTOEPFE BT      1,44
SUPPEN            1,37
SUPPEN            1,37
FEINSCHM          1,37
EDAMER            2,66
DICHT.BAND        6,99
    5  x    1,99
SCHW.BROEDLI      9,95
TORTENPLATTE      5,99
                -------
  SUMME    DM   110,38
PFAND -           6,60-
                -------
  SUMME    DM   103,78
INCL. MWST 7,00   3,18
INCL. MWST 14,00  6,70
  GEGEBEN  DM   103,83
  RUECKGELD DM    0,05

KASSE:101 BED:000087 / 07074
DATUM:16.01.91 ZEIT:11.45.17

  IHR BIG-TEAM
  BEDANKT SICH
  . AUF WIEDERSEHEN
```

```
    B I G
  TÜBINGEN

HEILQUELLE        7,49
PFAND             6,60
HOFBR.BIER       18,99
PFAND             6,00
LOEW.ALKOHOL     19,49
PFAND             6,00
    4  x    1,54
LANDMILCH         6,16
    4  x    0,30
PFAND             1,20
TAFELBIRNEN       3,14
AEPFEL            2,08
PORT.ECKEN        2,49
PORT.ECKEN        2,49
DICKMILCH         0,99
DICKMILCH         0,99
TOMATEN           4,27
CLEMENTINEN       3,36
ORANGE            2,94
SALZ              2,49
BANANEN           1,13
WURST             5,33
NAT.KÜRBIS        2,79
RADIESCHEN B      1,49
RADIESCHEN B      1,49
ZWIEBELN I.       0,99
GURKEN            1,19
EISSALAT  S       2,49
ZITRONEN          0,49
RADICCHIO         0,94
AUBERGINEN        2,29
SPARGEL-BUND      7,77
                -------
  SUMME    DM   125,46
PFAND -          13,20-
                -------
  SUMME    DM   112,26
INCL. MWST 7,00   3,72
INCL. MWST 14,00  5,99
  GEGEBEN  DM   112,31
  RUECKGELD DM    0,05

KASSE:101 BED:000033 / 09755
DATUM:07.03.91 ZEIT:12.24.29

  IHR BIG-TEAM
  BEDANKT SICH
  . AUF WIEDERSEHEN
```

```
    B I G
  REUTLINGEN

WEIN              7,49
WEIN              7,49
MEHRKORNEIER      2,79
MEHRKORNEIER      2,79
FERT.GERICHT      1,14
MÖVENPICK         8,49
MÖVENPICK         8,49
    3  x    1,29
MANDELN GEHO      3,87
SELLERIE          0,99
SELLERIE          0,99
SELLERIE          0,99-
BOHNENKERNE       2,59
WILLIAMS          1,61
SCHLAGSAHNE       2,39
ZITRONEN          1,29
TOMATEN           4,12
OBST/GEMUESE      2,07
KRÄUTER BUND      0,99
PAPRIKA GRUE      4,11
ORANGEN-NAV.      2,79
WALNUSSKERNE      6,99
WRIGL.KAUG.       1,89
ZWIEBELN          0,99
DELICIOUS         3,29
                -------
  SUMME    DM    78,66
INCL. MWST 7,00   5,15
  GEGEBEN  DM   100,06
  RUECKGELD DM   21,40

KASSE:113 BED:000029 / 00137
DATUM:14.03.91 ZEIT:13.27.12

  VIELEN DANK
  FÜR IHREN EINKAUF
  . AUF WIEDERSEHEN !
```

Was kostet:

1 4.12 DM?	**5** 6.16 DM?	**9** 2.08 DM?	**13** 0.49 DM?	**17** 1.47 DM?
2 2.79 DM?	**6** 18.99 DM?	**10** 5.33 DM?	**14** 0.80 DM?	**18** 2.79 DM?
3 0.99 DM?	**7** 2.49 DM?	**11** 4.99 DM?	**15** 1.99 DM?	**19** 5.94 DM?
4 1.13 DM?	**8** 1.19 DM?	**12** 3.53 DM?	**16** 1.09 DM?	**20** 2.66 DM?

Schreib Sätze. Zum Beispiel: Der Wein kostet sieben Mark neunundvierzig.

a_3 Hör gut zu! Im Radio hört man oft gute Kochrezepte. Machst du auch Diät? Bist du zu dick? Hier ist also eins für dich. Manuela möchte das Rezept haben. Sie kann nicht alles aufschreiben. Hör gut zu. Was braucht man?

Italienische Suppe

100g weiße Bohnen
1 Liter Wasser
1 große Kartoffel

DAK Gesundheits Dienst

DAK-Chefkoch empfiehlt

Filetspitzenragout, Rahmsoße
Gurke, Tomaten, Champignons
Grüne Nudeln
Apfelrohkost

a_4 Herr Feinschmecker möchte etwas ganz Leckeres essen. In seinem neuen Kochbuch findet er vier Rezepte. Er sagt, was er schon hat.

‚Ich habe schon Öl, Butter, Rote Beete, Joghurt, die Kräuter und Gewürze. Lauch, Spinat, Sellerie, Milch und ein Ei habe ich auch da. Gurken habe ich, auch Preiselbeeren, Mehl, Margarine. Ich habe auch Bananen; Brühe ist kein Problem; Salat, Fenchel und Sauerkirschen sind alle da im Schrank. Gut. Was brauche ich?

Kannst du sagen, was er für jedes Rezept noch braucht? Sieh dir die Kochrezepte auf Seite 203 und 204 an und schreib vier Einkaufslisten auf:

1 Für *Schweinesteak mit Früchten* braucht er . . .
2 Für *Gedämpftes Rindersteak* braucht er . . .
3 Für *Truthahnsteak* braucht er . . .
4 Für *Forelle Blau* braucht er . . .

DAK-Chefkoch empfiehlt

Schweinesteak mit Früchten
**Safran-Reis
Salatteller (Wachsbohnen,
Sellerie, Fenchel)**

---

geeignet: als Leber-, Galle- und Magenschonkost

Schweinesteak mit Früchten
**Safran-Reis
Salatteller (Wachsbohnen,
Sellerie, Fenchel)**

Eiweiß:	Fett:	Kohlenhydrate:	Kalorien:	Joule:
89,40 g	24,80 g	188,02 g	1491	5873

Zutaten: für 2 Personen

300 g Schweinesteak	100 g Wachsbohnen
120 g Sauerkirschen (tiefgefroren)	100 g Sellerie in Würfeln
150 g Banane	100 g Fenchel
160 g Reis	150 g Joghurt fettarm
320 g Brühe	2 g Öl
2 g Öl	2 g Salatkräuter
etwas Safran	40 g Zitrone
80 g Kopf- oder Feldsalat	Gewürze

Zubereitung:
Schweinesteak würzen, von beiden Seiten leicht andünsten, im Backofen
bei 200 Grad C 8 Minuten garen. Sauerkirschen dünsten, Banane leicht
andünsten und auf das Steak geben.
Reis waschen und mit Brühe und Safran im Backofen bei 200 Grad C
20 Minuten dämpfen.
Joghurt mit Zitrone, Salz, Worchestersauce, Salatkräutern und Öl
mischen und über die Salate geben. Die Wachsbohnen mit der Bohnen-
brühe anmachen.

Guten Appetit wünscht Ihre DAK

DAK-Chefkoch empfiehlt

Gedämpftes Rindersteak
**Apfel mit Preiselbeeren
Gemüsestreifen
Hausgemachte Spätzle**

---

geeignet: als Leber-, Galle- und Magenschonkost

Gedämpftes Rindersteak
**Apfel mit Preiselbeeren
Gemüsestreifen
Hausgemachte Spätzle**

Eiweiß:	Fett:	Kohlenhydrate:	Kalorien:	Joule:
109,17 g	41,00 g	169,40 g	1523	6380

Zutaten: für 2 Personen

360 g Rindersteak	40 g Zitrone
10 g Öl	160 g Mehl
100 g Karotten (frisch)	100 g Ei
100 g Sellerie (frisch)	150 g Äpfel
40 g Gurke	40 g Preiselbeeren
20 g Mehl	10 g Butter oder
20 g Sahne	Pflanzenmargarine
	Gewürze

Zubereitung:
Rindersteak mit Majoran, Fondor und Salz würzen, von beiden Seiten
andünsten. Steak in einen kleinen Topf geben, ¼ l Kalbsbrühe zugeben
und 1½ bis 2 Stunden im Backofen dämpfen.
Karotten und Sellerie in feine Streifen schneiden und ¼ Stunde
extra dämpfen.
Fleisch herausnehmen, Soße mit etwas Mehl binden, gut durchkochen
(10 Minuten), abseihen, mit süßer Sahne und Zitronensaft abschmecken.
Äpfel ausstechen und dämpfen, mit Preiselbeeren füllen.
Spätzle: Mehl, Salz, Muskat, Eier und Wasser in eine Schüssel geben,
gut durchschlagen. Spätzlepresse füllen und Spätzle ins kochende
Salzwasser pressen, gut aufkochen, herausnehmen, mit Pflanzen-
margarine und Salz würzen.

Guten Appetit wünscht Ihre DAK

DAK-Chefkoch empfiehlt

Truthahnsteak
Grilltomate, Spinattimbal
Lachsschinkenkartoffeln

---

geeignet: als Leber-, Galle- und Magenschonkost

Truthahnsteak
Grilltomate, Spinattimbal
Lachsschinkenkartoffeln

Eiweiß:	Fett:	Kohlenhydrate:	Kalorien:	Joule:
57,55 g	40,05 g	69,50 g	893	3738

Z u t a t e n : für 2 Personen

250 g Truthahnsteak	200 g pass. Spinat
2 g Öl	50 g Ei
100 g Kalbsknochen	300 g Kartoffeln
20 g Sellerie	50 g Milch
20 g Lauch	20 g Lachsschinken
20 g Karotten	Gewürze
200 g Tomaten	

Z u b e r e i t u n g :

Truthahnsteak mit Salz, Feinwürze und Rosmarin würzen. Kurz andünsten und im Backofen bei 200 Grad C 8 Minuten garen.
Kalbsknochen und Gemüse leicht andünsten und mit Wasser auffüllen. Etwa 2 Stunden kochen lassen, abseihen und würzen.
Tomaten abziehen und im Backofen etwa 10 Minuten garen. Spinat mit Ei und Gewürze mischen und in ein ausgefettetes Näpfchen geben.
Im Wasserbad oder Backofen ziehenlassen, dann stürzen (etwa 30 Minuten). Salzkartoffeln mit gehacktem rohen Schinken bestreuen!

Guten Appetit wünscht Ihre DAK

Forelle blau Schaumbutter
Kräuterkartoffeln
Gemischter Salat (Tomate, Rote Beete)

---

geeignet: als Leber-, Galle- und Magenschonkost

Forelle blau Schaumbutter
Kräuterkartoffeln
Gemischter Salat (Tomate, Rote Beete)

Eiweiß:	Fett:	Kohlenhydrate:	Kalorien:	Joule:
65,32 g	27,00 g	79,54 g	777	3125

Z u t a t e n : für 2 Personen

480 g Forelle	40 g Zitrone
20 g Butter	150 g Rote Beete
300 g Kartoffeln	150 g Joghurt fettarm
2 g Petersilie	2 g Öl
80 g Kopfsalat	2 g Salatkräuter
200 g Tomaten	Gewürze

Z u b e r e i t u n g :

Forelle in kochendes Salzwasser, dem etwas Essig zugegeben ist, legen und 10 bis 15 Minuten ziehen lassen.
Butter schaumig schlagen, Zitronensaft und Salz dazugeben und auf einem Blatt Salat anrichten.
Kartoffeln abkochen, mit frischen Kräutern bestreuen. Tomaten abziehen und in Stücke schneiden, mit Salz und Zitronensaft anmachen. Rote Beete mit Petersilie bestreuen.
Aus Joghurt, Salz, Zitronensaft, Öl und Salatkräutern eine Soße bereiten und über den Kopfsalat geben.

Guten Appetit wünscht Ihre DAK

Was möchten diese vier Leute zu essen haben?
Sieh dir die vier Rezepte an und hör gut zu.

1 Manfred
2 Julia
3 Monika
4 Dieter

Wer sagt:

a Fisch ist sehr gesund.
b Ich esse sehr gern Schweinefleisch.
c Ich mache Diät, und Truthahn ist immer gut.
d Nur 700 Kalorien – das nehme ich!
e Ich finde Fleisch mit Obst – Bananen und
   Kirschen – sehr interessant. Ja, das ist eine
   gute Idee.

B Kannst du etwas kaufen?

Andrea und Björn möchten ein Picknick
machen. Andrea will zum Supermarkt gehen;
ihre Mutter möchte auch ein paar Sachen.

Andrea, gehst du jetzt einkaufen? Holst du jetzt die
Sachen für euer Picknick?

Ja, Mutti.

Kannst du mir auch ein paar Sachen holen?

Ja, natürlich. Was brauchst du denn?

Also, die Brötchen im Supermarkt sind nie so gut.
Kannst du mir bitte zehn Brötchen kaufen? Die kaufst
du beim Bäcker. Und ich brauche auch Aufschnitt –
den holst du beim Metzger. Ich möchte ein Pfund
Schinken, 200 Gramm Salami. Kannst du mir auch
zwei Flaschen Limonade und eine Tüte Bonbons
kaufen, bitte?

Na, klar. Tschüs.

Beim Metzger:

Guten Tag.

Guten Tag. Was darf es sein?

Ich möchte ein Pfund Schinken und
200 Gramm Salami bitte.

Das wär's?

Ja. Was macht das?

Zwanzig Mark insgesamt, bitte.

 b_1 Hör gut zu. Sind wir hier beim Bäcker, beim
Metzger oder im Supermarkt? Für jedes
Gespräch schreib: **1** Bäcker, **2** Metzger oder
3 Supermarkt.

2

1

3

 b_2 Hör gut zu! Hier sagt Vater, was die Familie
braucht. Kannst du die Einkaufsliste schreiben?

b 3 Schau dir diese Produkte an. Wo findest du alles? Was findest du beim Bäcker? Was findest du beim Metzger? Was findest du im Supermarkt? Schreib drei Listen.

b 4 Füll diesen Lückentext aus:

Kannst du schnell ein paar Sachen holen?

Ja, natürlich. Was brauchen wir?

Ich brauche ein Kilo ...., ein Pfund
............, eine Flasche ...., eine Tüte
............, eine Dose .... und 250 Gramm
.... Das alles kaufst du im Supermarkt.
Und kannst du bitte zur Bäckerei gehen? Ich möchte
zwölf .... und ein Schwarz............
Beim Metzger holst du auch zwei Kilo ....
und 250 Gramm ....

C Beim Metzger, beim Bäcker

Andrea und Björn gehen zum Metzger:

Guten Tag. Was darf es sein?

Ich brauche 250 Gramm Salami.

Jawohl. Sonst noch etwas?

Ja, ein Pfund Schinken.

Das wär's?

Ja. Was macht das, bitte?

Für die Salami sechs Mark fünfzig und fünfzehn Mark für den Schinken. Einundzwanzig Mark fünfzig zusammen.

Vielen Dank. Auf Wiedersehen.

Jetzt gehen sie zum Bäcker:

Guten Tag. Was darf es sein?

Ich nehme zehn Brötchen, bitte.

Jawohl. Sonst noch etwas?

Ja, ich möchte ein Schwarzbrot.

Das wär's?

Ja. Was macht das, bitte?

Für die Brötchen fünf Mark und vier Mark für das Brot. Neun Mark zusammen.

Vielen Dank. Auf Wiedersehen.

C 1 Sieh dir diese Sonderangebote an. Sind die Preise hier alle richtig? Hör gut zu.

AUS UNSERER SB-ABTEILUNG:

**Schinkenwurst,
Jagdwurst
oder Bierwurst**
je 350-g-Stück

MINUS **2.⁹⁹**

Essen aus
Deutschland
CMA

**Ceverlatwurst
Salami- und
Katenrauch**
geschnitten
200-g-Packung

MINUS **1.⁷⁹**

**Ammerländer
Katenschinken**
geräuchert und
luftgetrocknet
ca. 600–800-g-
Stücke, 1 kg

MINUS **14.⁹⁸**

Rostbratwurst
Nürnberger-Art
10 à 30-g-
Packung

MINUS **3.³³**

Fleisch aus Deutschland. Genuß und ein Stück Lebenskraft.

**Spanien
Navel-Orangen**
Klasse II,
süß und
aromatisch
2000-g-Beutel

2.⁸⁹

**Span./Ital.
Erdbeeren**
Klasse II,
aromatisch
und lecker
250-g-Schale

1.⁹⁵

**Aus neuer Ernte:
Kohlrabi**
Klasse II,
zart und
knackfrisch
Stück

0.⁹⁹

**Franz.
Blumenkohl**
Klasse I,
weiße, feste
Köpfe
Stück

1.⁹⁵

**Pariser
Karotten oder
Junge Erbsen**
tiefgefroren,
je 1-kg-Beutel

2.⁷⁹

Himbeeren
tiefgefroren,
250-g-Packung

2.³⁹

**Das Feine
Eiskrem**
versch. Sorten,
je 750-ml-Packung

3.⁹⁹

Comtess Kuchen
versch. Sorten,
je 400-g-Packung

1.⁹⁹

**Daim
Knusper-
Pralinen**
200-g-Beutel

3.⁷⁵

**Lindt
Hochfeine
Pralines**
200-g-Packung

12.¹²

**SAROTTI
Choclait Chips**
versch. Sorten,
je 125-g-Packung

1.⁹⁹

**FERRERO
Mon Cheri**
250-g-Packung

6.⁷⁹

**Käse-Theke
WESTLAND
Maalander**
50 % Fett i. Tr. oder
Westlite
30 % Fett i. Tr.,
je 100 g

1.³⁹

**Käse-Theke
Bongrain
Fol Epi**
franz. Schnittkäse,
50 % Fett i. Tr.,
100 g

2.²⁹

**KRAFT
Lindenberger**
45 % Fett i. Tr.,
500-g-Packung

6.⁶⁶

**Bongrain
Le Gourmand de
Geramont oder
Le Bleu de
Geramont**
50/60 % Fett i. Tr.,
je 200-g-Packung

3.⁹⁹

C2   Kannst du die Lücken in diesen Gesprächen ausfüllen?

Guten ....

Guten ....

Was .... es sein?

Ich möchte ein Pfund ....[1], eine Flasche ....[2], 200 g ....[3] und zwei Dosen ....[4].

1

2

3

4

5

Jawohl. Sonst noch ....?

Ja, ich nehme auch ein Kilo ....[5].

Das wär's?

Ja. Was .... das, bitte?

Das .... vierundzwanzig Mark fünfzig, bitte.

C3   Du siehst hier viele Lebensmittel. Kannst du dein eigenes Gespräch erfinden, mit einem Partner als Ladenbesitzer?

IM LADEN			
Kunde			**Ladenbesitzer**
Ich möchte . . . Ich nehme . . . Ich brauche . . .	250g ein Pfund ein Kilo	Wurst. Käse.	Was darf es sein? Sonst noch etwas? Das wär's?
Was macht das?			Das macht . . . DM.

Zusammenfassung   *Was habe ich gelernt?*

Wenn du fertig bist, mach einen Haken! Wenn du nicht fertig bist, versuch's noch einmal.

	Prima	Gut	Nicht sehr gut	Seite
Ich kann fragen: 1 Was macht das? 2 Was darf es sein?				206 206
Ich kann sagen: 3 Ein Kilo/eine Packung usw. 4 Ich möchte ein Kilo/eine Packung usw.				200 210

13 *Gesundheit statt Krankheit*

A Was ist los?

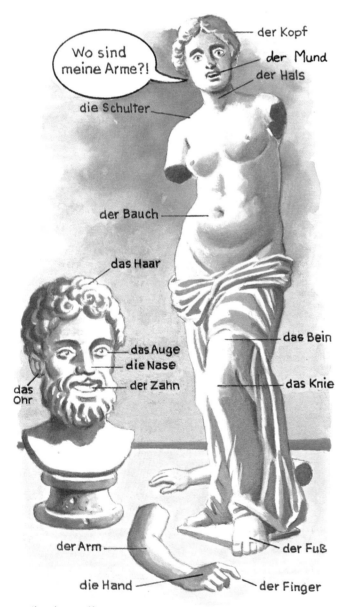

Wo sind meine Arme?!

der Kopf
der Mund
der Hals
die Schulter
der Bauch
das Haar
das Auge
die Nase
der Zahn
das Ohr
das Bein
das Knie
der Arm
die Hand
der Fuß
der Finger

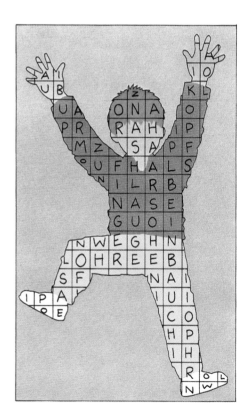

Was für Körperteile kannst du hier finden?

a_1 Sven ist immer faul und hat keine Lust, in die Schule zu gehen.

a_2 Hör gut zu. Was ist mit diesen Leuten los? Was tut weh?

Problem
1
2
3
4
5
6

a3 Wenn ein Kind nicht in die Schule geht, müssen die Eltern einen kurzen Brief an die Schule schreiben. Hier sind ein paar Beispiele. Kannst du den Brief mit dem passenden Bild zusammentun?

Herrenberg, 4.2.92

Sehr geehrte Frau Müller,
Florian ist heute nicht in der Schule. Er ist erkältet und muß zwei Tage im Bett bleiben.

Mit freundlichen Grüßen
G. Schmidt

Stuttgart, den 7. Februar 1992

Sehr geehrte Frau Lenz,
Meine Tochter war gestern wegen starken Zahnschmerzen nicht in der Schule. Es tut mir leid.
Hochachtungsvolle
Manfred Mann

Kuppingen, 3.2.92

Sehr geehrter Herr Marschall!
Leider mußte Anja gestern wieder zu Hause bleiben. Sie hatte wieder Bauchschmerzen und mußte im Bett bleiben. Sie hatte auch Halsschmerzen.
Mit freundlichen Grüßen
E. Hofbauer

Affstätt, 5.2.92

Sehr geehrter Herr Lehrer!
Unser Sohn Hans Torsten Knapp ist krank. Ihm tut der Kopf weh, er hat Halsschmerzen und Fieber. Er muß eine Woche im Bett bleiben. Hochachtungsvoll
Niko Knapp

P.S. Meine Frau hat Zahnschmerzen.

Tübingen, den 6. Februar

Sehr geehrter Herr Klassenlehrer!
Unsere Tochter Elisabeth Toller ist heute krank. Ihr tut der Kopf weh. Sie kommt heute nicht in die Schule.
Hochachtungsvoll
U. Toller

Kuppingen, 3.2.92

Sehr geehrter Herr Marschall!
Bitte entschuldigen Sie das Fehlen von Anja. Sie hatte Bauchschmerzen.
Mit freundlichen Grüßen
E. Hofbauer

a   b   c   d   e   f

a4 Am nächsten Montag kommt Sven in die Schule zurück. Der Klassenlehrer ist nicht zufrieden.

Svens Freundin, Paula die Faule, war auch ‚krank‘. Sie hat ihre Hausaufgaben nicht gemacht! Was sind ihre Ausreden? Kannst du die Sprechblasen auf der nächsten Seite ausfüllen?

Wo warst du letzte Woche? Wo sind deine Hausaufgaben?

Ich war krank. Mir hat der Kopf am Montag weh getan, am Dienstag hat mir der Bauch weh getan. Das Ohr hat mir am Mittwoch weh getan, und der Hals hat mir am Donnerstag weh getan. Am Freitag war ich erkältet. Ich war sehr krank.

Krank sein				
a Ich habe keine Lust heute!		**b** Ich habe meine Hausaufgaben nicht gemacht!		
Mir tut	der Kopf weh der Hals weh der Bauch weh der Zahn weh	Mir hat	der Kopf weh der Hals weh der Bauch weh der Zahn weh	getan
Mir ist	schwindlig schlecht warm kalt	Mir war	schwindlig schlecht warm kalt	
Ich habe	Fieber Durchfall Schnupfen Sonnenbrand Kopfschmerzen	Ich hatte	Fieber Schnupfen Durchfall Sonnenbrand Kopfschmerzen	
Ich bin	krank erkältet	Ich war	krank erkältet	

B Beim Arzt

*b*₁

Björn fühlt sich heute nicht wohl. Er liegt im Gästezimmer im Bett bei Speths und möchte nicht aufstehen. Frau Speth kommt zu ihm.

Was hast du, Björn?

Ich weiß nicht. Mir tut der Magen weh, und ich fühle mich nicht wohl. Ich habe die ganze Nacht nicht geschlafen.

Möchtest du etwas essen? Hast du Hunger?

Nein, gar nicht. Mir ist schlecht.

Tja, vielleicht solltest du zur Ärztin gehen. Ich rufe sie an.

Frau Speth ruft Frau Doktor Müller an.

Ja, guten Morgen, Frau Doktor. Hier Speth. Wir haben hier Besuch aus Norddeutschland, einen Jungen, und er hat heute morgen ganz schlimme Bauchschmerzen. Er möchte gar nichts essen und hat die ganze Nacht nicht geschlafen. Sollten wir in die Praxis kommen? Ja? Gut, um zehn Uhr also. Auf Wiederhören.

In der Praxis müssen sie nicht lange warten.

Guten Morgen, Björn. Also, wo tut es denn weh?

Hier, Frau Doktor. Mir tut der Bauch furchtbar weh.

Was hast du denn gegessen?

Heute habe ich nichts gegessen. Gestern habe ich Leberwurst, Käse und Salami gegessen.

Und sonst hast du nichts gegessen?

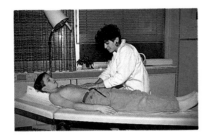

Doch! Hm. Ich habe eine Currywurst am Imbißstand gegessen. Sie hat sehr gut geschmeckt. Nach der Currywurst haben Andrea und ich Schokolade im Supermarkt gekauft und dann noch Eis gegessen. Ich glaube, ich habe zuviel Schokolade gegessen.

Und was hast du getrunken?

Ich habe auch etwas Kaffee getrunken. Das war gestern abend. Aber nicht viel. Ich habe auch ziemlich viel Cola getrunken.

Das war es vielleicht. Zuviel Schokolade und zuviel Cola. Dagegen kann man nichts verschreiben. Sei etwas vorsichtiger!

Vielen Dank, Frau Doktor. Auf Wiedersehen.

*b*₂ Hör gut zu. Diese Leute haben Frankreich, England, Deutschland, die Schweiz und Österreich besucht. Was haben sie gegessen? Was haben sie getrunken? Wo waren sie genau? (In welchem Land?)

	Land	Gegessen	Getrunken
1			
2			
3			
4			
5			
6			

*b*₃ Diese Leute haben im Ausland Urlaub gemacht und sind nach Deutschland zurückgefahren. Was haben sie gegessen und getrunken? Kannst du diese Texte wiederherstellen?

1 Ursula: Ich war zwei Wochen in Frankreich. Das Essen war .... (1), aber ich habe wirklich zuviel .... (2) gegessen. Ich habe nur .... (3) getrunken.

2 Frank: Ich war einen Monat in Spanien. Das Essen war .... (1), aber ich habe sehr viel (2) gegessen. Ich habe auch sehr viel .... (3) getrunken.

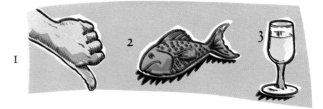

3 Mike: Ich war vier Tage in Polen. Das Essen war .... (1). Ich habe .... (2) gegessen und .... (3) getrunken – aber nicht viel.

4 Toni: Ich war drei Wochen in Österreich. Das Essen war .... (1) – ich habe .... (2) gegessen und .... (3) getrunken.

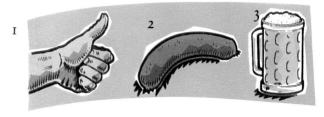

*b*₄ Freddy Freßsack ißt zuviel – Pommes Frites, Kartoffeln, Fleisch usw.

Seine Freundin heißt Trudi Trunkenbold. Sie hat auch ein Problem: Sie trinkt wie ein Loch. Viel zuviel – Bier, Wein, Whisky – alles!

 Was hast du heute zum Frühstück gegessen?
Was hast du getrunken?
Was hast du gestern abend gegessen und getrunken?
Frag deinen Partner.

C Gesund leben

Freddy und Trudi sind beim Arzt.

Sie bekommen dieses Fitneß-Programm vom Arzt.

Programm für Anfänger

Dauer: 12 Wochen
Häufigkeit: mindestens 2- 3mal wöchentlich

1. Woche:	15 - 20 Minuten zügiges Gehen
2. Woche:	15 - 20 Minuten zügiges Gehen, wobei 2 bis 3 Phasen von 3 Minuten mit erhöhtem Tempo eingeschaltet werden.
3. Woche:	Gehen und Laufen im Wechsel, 2mal 1 Minute Laufen, Gehpausen von 3 Minuten vorher, dazwischen und nachher.
4. Woche:	Gehen und Laufen im Wechsel, 3mal 1 Minute Laufen, Gehpausen von 3 Minuten vorher, dazwischen und nachher.
5. Woche:	Gehen und Laufen im Wechsel, 3mal 2 Minuten Laufen, Gehpausen von 3 Minuten vorher, dazwischen und nachher.
6. Woche:	Gehen und Laufen im Wechsel, 2mal 3 Minuten Laufen, Gehpausen von 3 Minuten vorher, dazwischen und nachher
7. - 12. Woche:	Gehen und Laufen im Wechsel, 2mal 4 Minuten Laufen mit Steigerung um jeweils 1 Minute pro Woche bis auf 2mal 9 Minuten Laufen mit jeweils 3 Minuten Gehpausen.

c_1

Tante Bollwerk ist furchtbar dick und oft krank. Sie ißt immer Schokolade und Kuchen. Jetzt möchte sie gesünder essen. Was sollte sie kaufen? Kannst du ihr raten? Sieh dir die Anzeige von *Krone* an. Sag ihr, was sie kaufen sollte.

Zum Beispiel: Du solltest das Mehrkornbrot und 100g Schnittkäse kaufen.

C2 In Zeitungen und Zeitschriften findet man oft Anzeigen für Gesundheitsprodukte. Sieh dir diese Produkte an:

1 Vitalität
2 Leistungsstreß
3 Eisenmangel
4 gesundes Blut

= 4 × gut

In Flaschen zu 350 ml u. 700 ml

Rabenhorst-Pharma GmbH
neuform DIÄTWARE

Dr. Ritters **weizen diät** für die Schlankheitsdiät

Dr. Ritters **Joghurt Weizendiät** für die Schlankheitsdiät — Orange

Dr. Ritters **Joghurt Weizendiät** für die Schlankheitsdiät — Birne

Hör gut zu. Welches Produkt kann man für diese Leute empfehlen?

Patient	Problem	Gesundheitsprodukt
1		
2		
3		
4		

C 3

Zeitschriften beraten oft bei Gesundheits-problemen. Hier ist ein Beispiel dafür – sieh dir den Artikel an.

SCHÖNHEIT

Wenn die Haut blaß, das Haar glanzlos und die Augen müde sind, hilft auch der Griff zu Cremetopf und Schminktiegel nicht weiter. Wir verraten Ihnen hier, wie Sie mit Vitaminen ihr Aussehen von innen heraus verbessern können

HAUT

In diesen Nahrungsmitteln ist alles enthalten, was die Haut zum Zellaufbau, zur Entschlackung und zum Schutz braucht. Das „Schönheitsvitamin" E kann sogar den Alterungsprozeß verzögern (auch in Vitaminkapseln)

Salat

Vitamin-pillen

Käse

Tomaten

Fisch

Kohl

Südfrüchte

Pflanzenöl

Gesunde und schöne Haut mit den Vitaminen A, B₂ B₅, C und E

Alles neu macht der Mai...
Die Vitamin-Hitliste
für Ihre Schönheit

Machen das Haar glänzend und fördern den Wuchs: die Vitamine B₅, B₇, und H

Milch

Vollkornbrot

Weizenkeime

Fleisch

Kartoffeln

Ei

Hefe

Nüsse   Innereien (Leber)

Mit stumpfen Haaren, Schuppen, Haarausfall und brüchigen Nägeln ist es bald vorbei, wenn diese Grundnahrungsmittel auf dem Speiseplan stehen. Vitamin H stärkt außerdem das Nervensystem und sorgt so für mehr Ausgeglichenheit

HAAR

AUGEN

Strahlende Augen und ein klarer Blick sind unübersehbare Signale an unsere Umwelt, daß wir uns rundum wohl fühlen. Gut zu wissen: Bei erhöhtem Vitaminbedarf (durch Krankheit, Streß oder Ernährungsfehler) gleichen Multi-Vitamin-Präparate den Mangel wieder aus

Butter

Tomaten

Pilze

Spinat

Nüsse

Petersilie

Möhren

Erhöhen die Sehkraft und die Widerstands-fähigkeit bei Infektionen: die Vitamine A und B₂

Hier sind fünf Leute. Sie sind alle krank. Welche Empfehlung paßt zu welcher Person? (Der Artikel auf der Seite gegenüber wird dir helfen. Paß auf! Mehr als eine Empfehlung ist oft möglich!)

1 Du solltest nicht so viel essen!

2 Du solltest mehr Salat, Obst, Fisch und Käse essen!

3 Du solltest mehr laufen!

4 Du solltest nicht so viel Wein trinken!

5 Du solltest mehr Butter, Pilze und Tomaten essen!

6 Du solltest etwas mehr essen!

7 Du solltest mehr Sport treiben!

8 Du solltest Vitamin-Tabletten kaufen!

9 Du solltest mehr Vollkornbrot, Eier und Kartoffeln essen.

10 Du solltest im Bett bleiben!

11 Du solltest keine Schokolade essen!

12 Du solltest nicht so viel trinken!

C **4** Arbeite mit einem Partner zusammen. Ein Partner ist sehr ungesund (er ißt immer Pommes Frites usw.), der andere Partner ist immer gesund (er ißt immer Obst und Gemüse).

Das Gespräch geht so:

Gesund		Ungesund

Was hast du gestern gegessen?

Ich habe einen Hamburger mit Pommes Frites gegessen.

Du solltest mehr Fisch essen. Das ist gesund und viel besser.

Aber ich esse so gern Hamburger mit Pommes Frites. Und ich habe auch eine Flasche Whisky getrunken.

Du solltest nicht . . . usw.

C **5** Schreib jetzt ein Poster für eine *Gesund-essen-Aktion* oder vielleicht auch eine Werbeanzeige für ein Gesundheitsprodukt!

Sieh dir die Statistik an. Sind diese Sätze falsch oder richtig?

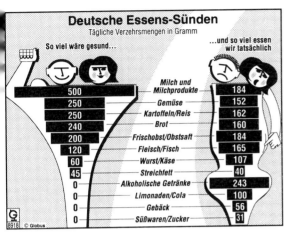

1 Die Deutschen essen zu viel Wurst.
2 Die Deutschen essen nicht genug Fleisch.
3 Die Deutschen essen nicht genug Obst.
4 Die Deutschen trinken zu viel Alkohol.
5 Die Deutschen trinken nicht genug Cola und Limonade.
6 Die Deutschen essen zu viel Reis.
7 Die Deutschen essen zu viel Brot.
8 Die Deutschen trinken zu viel Milch.
9 Die Deutschen trinken nicht genug Saft.
10 Die Deutschen essen zu viel Käse.

Essen die Briten auch so ungesund? Schreib deine eigenen Sätze, um die Eßgewohnheiten deiner Landsleute zu beschreiben.

Zum Beispiel: Die Engländer essen zu viel Pommes Frites.

Zusammenfassung – *Was habe ich gelernt?*

Wenn du fertig bist, mach einen Haken! Wenn du nicht fertig bist, versuch's noch einmal.

	Prima	Gut	Nicht sehr gut	Seite
Ich kann fragen: 1 Was ist los? 2 Was hast du gestern gegessen/getrunken?				215 216
Ich kann sagen: 3 Ich bin krank (+ andere Krankheiten: mir tut der Kopf weh usw.) 4 Ich habe … gegessen. Ich habe … getrunken. 5 Ich sollte/Du solltest … … nicht so viel essen … mehr Sport treiben usw.				214 216 220
Ich kenne: 6 Die Körperteile (Kopf, Arm, Schulter usw.)				212

14 *Bei der Hochzeit*

A Die Einladung

a 1 Björn und Andrea sind heute bei Olaf.
Olaf feiert heute seine Konfirmation.

Hier ist die Einladung

Unser

Olaf

wird am 23. Februar 1986 in der St. Severini-Kirche zu Kirchwerder konfirmiert.

Zur

Konfirmationsfeier

am 1. März 1986, um 18.00 Uhr, im »Gasthaus zum Ortkathen«,
laden wir herzlich ein.

Erhard und Marion Graf

Um Antwort wird gebeten bis zum 20. 2. 1986 unter der Telefon-Nr. 723 90 90

◁ Olaf und
seine Eltern

Hier sind einige andere
Einladungen:

I Liebe(r) ....,

BRITTA and STEPHEN
LADEN HERZLICH EIN

ZU IHRER TRAUUNG
UND ANSCHLIESSENDER FEIER
am 31. MAERZ 1991 um 1400 Uhr
IN DER MARTINSKIRCHE
CALW -ALTBURG

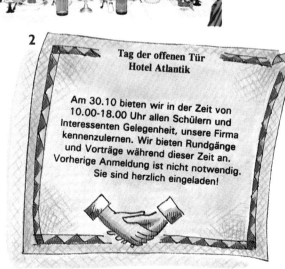

2

Tag der offenen Tür
Hotel Atlantik

Am 30.10 bieten wir in der Zeit von
10.00-18.00 Uhr allen Schülern und
Interessenten Gelegenheit, unsere Firma
kennenzulernen. Wir bieten Rundgänge
und Vorträge während dieser Zeit an.
Vorherige Anmeldung ist nicht notwendig.
Sie sind herzlich eingeladen!

3 Einweihungsparty!

Wir sind umgezogen und
wünschen Euch gern unsere
neue Wohnung vorzustellen!

Dazu geben wir am 8. Juli
ab 20.00 Uhr eine
Einweihungsparty. Wäre
nett, wenn Ihr dabei wärt.

Unsere neue Adresse:
Hofweg 19
Nürnberg 7
Lisa und
Kalle

Zu unserer
Silberhochzeitsfeier
am Donnerstag, dem 16. August 1990
um 19.00 Uhr
im „Waldhaus Reinbek"
Loddenallee · 2057 Reinbek

laden wir herzlich ein

Marion und Erhard Graf

EMPFANG am 13. August 1990
ab 19.00 Uhr
im „Landhaus Voigt"

Wir bitten um Antwort bis 1. August 1990
Telefon 723 28 68

4

Am Sonntag, dem 12. September wird unsere Tochter Elke in der Nikolauskirche getauft. Hierzu seid Ihr herzlich eingeladen. Die Zeremonie findet um 13.00 Uhr statt.
Helga und Horst Reinach

5

Einladung
Am Samstag, dem 4. Juni, feiere ich meinen 21. Geburtstag und möchte Dich dazu recht herzlich einladen. Die Party beginnt um 18.00 Uhr bei mir zu Hause. Gute Laune und Tanzlust sind mitzubringen. Bitte ruf mich vorher an, ob du kommen kannst oder nicht. Grüße, Wibke, . . .

6

a

b

c

d

e

f

a_2

Hör gut zu. Was wird hier gefeiert? Du hörst fünf Feiern. Welches ist ...

1 ... die Taufe?
2 ... der 18. Geburtstag?
3 ... die Hochzeit?
4 ... die goldene Hochzeit?
5 ... die Konfirmation?

a_3

Schreib jetzt deine eigenen Einladungen.

Eine Einladung		
Wir laden herzlichst	zu unserer Hochzeitsfeier zur Konfirmation zur Taufe zu einer Geburtstagsfeier zu einer Party zum Tag der offenen Tür	ein

B Olafs Stammbaum

b_1

Olaf hat viele Verwandte, und sie sind fast alle bei der Konfirmation. Er zeigt Andrea seinen Stammbaum.

Wer ist wer?

1 Wer ist die Mutter von Olaf?
2 Wer ist die Mutter von Erhard?
3 Wer ist der Vater von Marion?
4 Wer ist die Frau von Thomas?

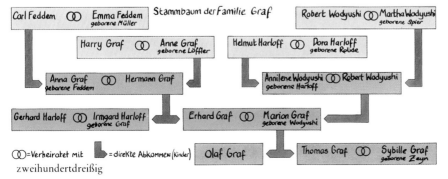

Stammbaum der Familie Graf

Carl Feddem ⊗⊗ Emma Feddem geborene Müller

Robert Wodyushi ⊗⊗ Martha Wodyushi geborene Spier

Harry Graf ⊗⊗ Anne Graf geborene Löffler

Helmut Harloff ⊗⊗ Dora Harloff geborene Rolide

Anna Graf geborene Feddem ⊗⊗ Hermann Graf

Annilene Wodyushi geborene Harloff ⊗⊗ Robert Wodyushi

Gerhard Harloff ⊗⊗ Irmgard Harloff geborene Graf

Erhard Graf ⊗⊗ Marion Graf geborene Wodyushi

⊗⊗=Verheiratet mit ▶=direkte Abkommen (Kinder) Olaf Graf Thomas Graf ⊗⊗ Sybille Graf geborene Zeyn

zweihundertdreißig

*b*₂ Ein Brieffreund von Björn hat einen sehr komplizierten Stammbaum. Der Brieffreund kommt aus England und heißt Jamie. Hier ist sein Stammbaum:

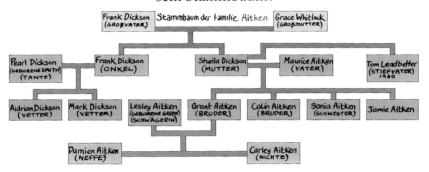

Wer ist wer?

1 Wer ist die Mutter von Carly?
2 Wer ist der Onkel von Colin?
3 Wer ist der Onkel von Damian? (Es gibt eigentlich zwei!)
4 Wer ist der Großvater von Adrian?

5 Wer ist der Stiefvater von Sonia?
6 Wer ist die Schwägerin von Jamie?
7 Wer sind die Enkel von Grace?
8 Wer ist die Großmutter von Mark?
9 Wer ist die Frau von Frank?
10 Wer ist der Mann von Lesley?

  *b*₃ Hör gut zu. Kannst du sagen, wer diese Leute sind? Füll den Stammbaum aus.

Der Stammbaum der Familie Schmidt

Klaus Schmidt (Großvater)   Anja Schmidt –geb. Graf (1. _____)

Albert Schmidt (Onkel)
Peter Schmidt (4. _____)
(2. _____) Schmidt –geb. Stein (Mutter)
Diana Schmidt (5. _____)
(3. _____) Krosien (Onkel)
Susi Krosien –geb. Schmidt (Tante)

Robert Schmidt (Das bin ich!)
(6. _____) Schmidt (Bruder)
(7. _____) Schmidt (10. _____)
(8. _____) Krosien (Kusine)
(9. _____) Krosien (Vetter)

? Christopher   Sonja   Vater   ? Elke
Julia ? Großmutter Schwester Hans
Olaf   Tante

Jetzt kannst du ‚Falsch oder Richtig '-Sätze für deinen Partner schreiben.

Zum Beispiel:

1 Albert Schmidt ist der Onkel von Robert Schmidt.   RICHTIG!
2 Lisa ist die Großmutter von Elke. FALSCH!

*b*₄ Kannst du auch deinen Stammbaum schreiben und beschreiben?

C Was sind sie von Beruf?

Viele Leute sind bei der Konfirmation, aber was sind sie alle von Beruf?

C1 Bei der Konfirmation haben Andrea und Björn viele Leute kennengelernt. Woher kommen sie, und was sind sie von Beruf?

	Name	Wohnort	Beruf
1			
2			
3			
4			
5			

C2 Und was willst du werden, wenn du groß bist?

Koch

Formel-1-Fahrer

Gärtner

Rockmusiker

Zoodirektor

Schauspieler

Journalistin

Taucher

Manager

Bankdirektorin

Modeschöpfer

Modell

Politikerin

Fotograf

Kannst du auch so lustige Bilder zeichen?

C3 Wörtersalat! Kannst du die zehn Berufe hier finden und aufschreiben?

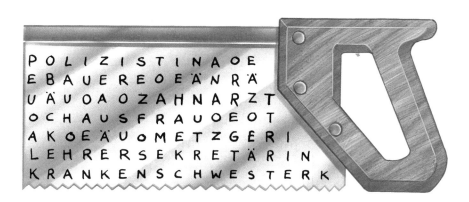

```
P O L I Z I S T I N A O E
E B A U E R E O E Ä N R Ä
U Ä U O A O Z A H N A R Z T
O C H A U S F R A U O E O T
A K O E Ä U O M E T Z G E R I
L E H R E R S E K R E T Ä R I N
K R A N K E N S C H W E S T E R K
```

D Was macht man bei einer Hochzeit?

Andrea ist zu einer Hochzeit gegangen. Aber was macht man in Deutschland?

Britta und Stephen heiraten. Die Einladung haben wir schon auf Seite 228 gesehen. Ein paar Tage vor der Hochzeit ist der Polterabend. Man trinkt viel, man ißt, und man muß auch *poltern*, das heißt viel altes Geschirr zerschmettern.

Am Tag der Hochzeit stellt man einen Storch bei der Braut auf das Dach.

Dann gehen die Gäste, die Braut und der Bräutigam ins Rathaus zum Standesamt. Im Standesamt ist die offizielle Hochzeit. Britta und Stephen unterschreiben. Dann gehen alle zur Kirche.

Die Braut und der Vater der Braut gehen hinein, man singt, man betet, und der Pfarrer spricht den Trauspruch.

Hier ist die Kirche.

Sie kommen aus der Kirche und sägen zusammen einen Baumstamm durch.

Man macht viele Fotos. Dann fahren die Gäste alle durch die Stadt zum Restaurant. Die Autos hupen, und die Leute winken.

Im Restaurant hält der Vater der Braut eine Rede.

Die Braut schneidet den Kuchen auf. Dann gibt es etwas zu essen.

Sie tanzen, und endlich fährt das glückliche Brautpaar auf die Hochzeitsreise.

Hier ist die Einladung.

Hans Günter Jürgen Kessel

Elizabeth Anne Gillard

Wir laden herzlichst zu unserer

Hochzeitsfeier

am Samstag, 24. Mai 1986, in St. Oswald
„Wirtshaus zum Bucher", ein.

Kirchliche Trauung um 14.00 Uhr in der
Pfarrkirche St. Oswald.

R.S.V.P.

d₂

Letztes Jahr war Björn in Bayern. Seine Freunde
Liz und Hans haben geheiratet.

Hans kommt aus Bayern, und Liz kommt aus
Jersey. Hier sind einige Fotos. Kannst du für
jedes Foto eine passende Aussage finden?

1

2
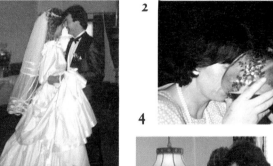

4

5

3

7

6

8

9

10

11

Hans und Liz zu Hause

                  Hans und Liz beim Standesamt

Die Kirche

         Nach der Kirche fahren sie zum Wirtshaus

Hier findet die Hochzeitsfeier statt

                    Hier ist der Kuchen

**Nach dem Essen plaudern die Gäste
und trinken Kaffee**

                Hans und Liz beim ersten Tanz

Hier ist die Eistorte

      Hier ist die Schwester von Liz. Sie trinkt gern!

Hier ist ein Freund von Hans. Er schläft gern!

*d*3   Was macht man in deiner Familie bei einer Hochzeit? Oder bei einer Taufe oder bei einer Geburtstagsfeier?

Zusammenfassung   – *Was habe ich gelernt?*

Wenn du fertig bist, mach einen Haken! Wenn du nicht fertig bist, versuch's noch einmal.

	Prima	Gut	Nicht sehr gut	Seite
Ich kann sagen:				
1 Ich lade zu . . . ein.				**230**
2 Mein Großvater ist . . . Arzt/Ingenieur/ Lehrer usw.				**233**
3 Das ist die Großmutter . . . von . . .				**231**
4 Was wir bei einer Hochzeit/Taufe/ Konfirmation usw. machen				**235**

15 *Die Abfahrt*

A Beim Packen

a **1** Hast du etwas vergessen? Björn beginnt, seinen Koffer zu packen, aber er hat seine Geschenke vergessen. Kannst du sie auf dem Bild finden?

a **2** Hast du alles mit? Björn hat seine Geschenke gefunden, und jetzt ist er beim Packen. Andrea hilft ihm. Hör gut zu. Was hat Björn vergessen, und wo ist es?

	Was?	Wo?
1		
2		
3	🚫✏️	🚫✏️
4		
5		
6		

a3 Wieviele Fragen kann dein Partner während einer Minute beantworten?

Zum Beispiel:

Hast du	meinen Schal meine Puppe meinen Ball meine Hose	gesehen?	Ja. Er ist im Wohnzimmer. Ja. Sie ist im Eßzimmer. Ja. Er ist in der Küche. Ja. Sie ist in der Garage.

B Björns Eltern kommen an

*b*1 Was sagt Björn über seine Eltern? Welche Aussagen sind richtig? Welche Aussagen sind über Björns Mutter und welche über seinen Stiefvater? Hör gut zu und schreib ganze Sätze.

Björns Mutter

Björns Stiefvater

> hat keine Geschwister
>
> ist dreißig   heißt Harald   liest gern
>
> kommt aus Herrenberg   heißt Gerda
>
> ist vierunddreißig   kommt aus Mainz
>
> hat einen Bruder   sieht gern fern
>
> hat drei Schwestern   heißt Wolfgang
>
> hat zwei Schwestern und einen Bruder
>
> heißt Christiane   ist siebenundvierzig
>
> kommt aus Halberstadt
>
> ist fünfundvierzig
>
> geht gern schwimmen   kommt aus Kiel
>
> geht einkaufen

C Was hast du in den Ferien gemacht?

Björn zeigt seinen Eltern, was er in den Ferien gemacht hat.

Ich habe Geschenke gekauft. ▽

Ich habe ein Fußballspiel gesehen. ▽

Ich habe Cola getrunken. ▽

Ich habe eine Currywurst gegessen. ▽

Ich habe Oliver kennengelernt. ▽

Ich bin ins Kino gegangen. ▽

▷
Ich bin bei Horten einkaufen gegangen.

Ich habe Tennis gespielt. ▽

Ich habe das Rathaus besichtigt. ▽

Ich bin nach Stuttgart gefahren. ▽

C1

Hör gut zu. Was hat Björn in dieser Woche gemacht? Verbinde den Tag mit dem Text aus seinem Tagebuch. Wir haben Nr. 1 als Beispiel schon gemacht!

·SONNTAG

·MONTAG

·DIENSTAG

·MITTWOCH

·DONNERSTAG

·FREITAG

·SAMSTAG

·SONNTAG

1. Ich bin am Bahnhof angekommen.
   Ich habe Andreas Haus gesehen und Andreas Familie kennengelernt.
   Ich habe gut geschlafen.

2. Ich habe nichts Besonderes gemacht. Ich habe nur eine CD gekauft.
   Ich habe Currywurst mit Pommes Frites gegessen.

3. Ich bin nach Stuttgart gefahren.
   Ich bin einkaufen gegangen. Es war echt spitze.
   Ich habe ein Fußballspiel gesehen. Es war sehr gut.
   Ich bin ins Restaurant gegangen.

4. Die Hochzeit.

5. Ich habe Oliver und Sabine kennengelernt.
   Ich habe mit Sabine Tennis gespielt.
   Wir haben eine Wanderung gemacht.

6. Meine Eltern sind gerade angekommen.
   Ich fahre heute nach Hause.

7. Ich war krank.

8. Ich bin um neun Uhr aufgestanden.
   Ich bin nach Herrenberg gefahren.
   Es war klein, aber interessant.

C2

Wohin bist du gefahren?

1 Ich bin nach Tokio in Japan gefahren.
2 Ich bin nach Wien in Österreich gefahren.
3 Ich bin nach Los Angeles in Amerika gefahren.
4 Ich bin nach Madrid in Spanien gefahren.

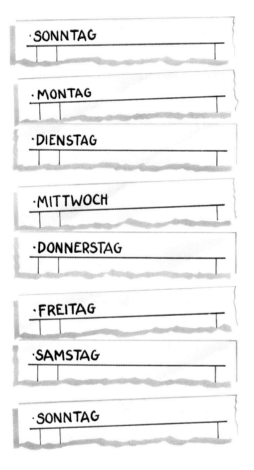

I

2

3

4

C3 Wohin sind die folgenden Leute in Urlaub gefahren? Hör gut zu.

Name	Wohin	Name	Wohin
1 2 3		4 5 6	

C4 Was hast du gemacht? Wir haben einige Freunde in Herrenberg gefragt, was sie in den Ferien gemacht haben. Welches Foto gehört zu welchem Satz?

1 Ich bin schwimmen gegangen.
2 Ich bin zelten gegangen.
3 Ich habe am Strand gespielt.
4 Ich bin Boot gefahren.
5 Ich bin Skifahren gegangen.
6 Ich bin auf eine Party gegangen.
7 Ich habe Pizza gemacht.

◁ a

b ▽

c ▽

d ▽

◁ e

f △

g ▽

C 5

Was haben sie gemacht? Hör gut zu. Welches Bild zeigt, was diese Leute in den Ferien gemacht haben?

1 Karl . . .

. . . ist einkaufen gegangen.

. . . ist schwimmen gegangen.

. . . ist reiten gegangen.

2 Anne . . .

. . . ist in die Disco gegangen.

. . . hat Tennis gespielt.

. . . hat Gitarre gespielt.

3 Ulf . . .

. . . hat Golf gespielt.

. . . hat Klavier gespielt.

. . . hat Karten gespielt.

4 Hannelore . . .

. . . ist nach Frankreich geflogen.

. . . ist ins Theater gegangen.

. . . hat ein Picknick gemacht.

C 6 Und was haben Björns Eltern gemacht?

,Wir sind nach Griechenland gefahren. Wir haben viel gemacht.' (Kannst du alles aussortieren und sagen, was sie gemacht haben?)

Wir sind

Wir haben

Wir haben

Wir sind

Wir sind

Wir sind

schwimmen gegangen/griechisch gegessen/ gelesen/einkaufen gegangen/ spazierengegangen/ins Restaurant gegangen

Was hast du gemacht?		
ich bin du bist er ist sie ist	einkaufen ins Kino in die Stadt zum Markt zum Bahnhof	gegangen
wir sind ihr seid sie sind	nach Italien nach Bonn in die Stadt	gefahren
ich habe du hast er hat sie hat wir haben ihr habt sie haben	Tennis Gitarre	gespielt
	ein Picknick	gemacht
	das Rathaus	besichtigt
		gelesen getrunken gegessen

D Wie war es?

Also Björn, wie war es bei Andrea?

Es war echt spitze!

Wie kann man sonst seine Meinung ausdrücken?

Wie war die Party?
Sie war prima!

Wie war das Stück?
Es war sehr interessant.

Wie war der Film?
Er war langweilig.

Wie war das Konzert?
Es war furchtbar.

Wie war die Kassette?
Sie war nicht sehr gut.

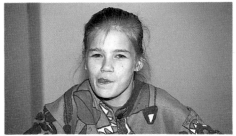

Wie war das Hähnchen?
Es war lecker.

Wie war die Reise?
Sie war stürmisch.

Wie waren die Ferien?
Sie waren fantastisch!

Wie waren die Kinder?
Sie waren laut!

*d*₁   Als Björn in Stuttgart war, hat er ein Buch gekauft. In dem Buch wird von Till Eulenspiegel erzählt. Er hat im 14. Jahrhundert gelebt. Er war Bauernsohn. Björn erzählt Andrea eine Geschichte aus dem Buch:

Eulenspiegel hat nicht nur Spaß gemacht. Er ist auf einem Seil gegangen. Einmal ist er auf einem Seil über einen Fluß gegangen.

Da hat eine Frau das Seil zerschnitten. Eulenspiegel ist ins Wasser gefallen und die Leute haben gelacht. Er hat sich geärgert.

Am nächsten Tag hat er noch das Seil über den Fluß gespannt und hat gesagt: „Möchtet ihr etwas sehen? Ich brauche eure Schuhe. Jeder soll mir seinen linken Schuh geben."

Eulenspiegel hat die Schuhe auf eine dünne Schnur gezogen. Dann ist er auf sein Seil gegangen.

„Paßt gut auf und sucht eure Schuhe. Vielleicht findet ihr sie wieder" hat er gesagt. Dabei hat er die Schnur zerschnitten und die Schuhe sind ins Wasser gefallen.

Die Kinder und die Erwachsenen sind in den Fluß gesprungen. „Hier ist mein Schuh!", „Nein, der ist mein Schuh." Eulenspiegel hat gelacht.

...aber nicht sehr lang - er konnte vier Wochen nicht mehr aus dem Haus gehen - die Leute waren wütend!

d₂ Selbst basteln!

Nimm eine Frage und eine Antwort...
... und zeichne ein lustiges Bild dazu!

Frage	Antwort	
Wie war das Wetter?		schön!
Wie war das Steak?		verbrannt!
Wie war die Kassette?	Er/sie/es war	seltsam!
Wie waren die Eltern?	Sie waren	lustig!
Wie waren die Hamster?		süß!

d₃ Was haben sie in den Ferien gemacht, und wie war es? Hör gut zu. Wer sind diese Leute? Wohin sind sie gefahren? Was haben sie dort gemacht? Wie war es?

z.B.

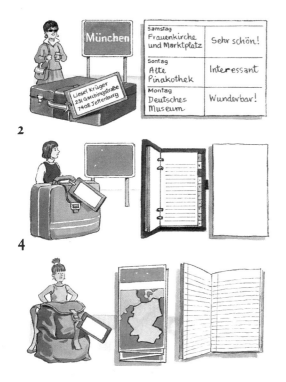

E Die Abfahrt

Björn und seine Eltern fahren nach Hause.

Tschüs, Andrea.

Bis zum nächsten Mal, Björn.
Komm gut nach Hause!

Auf Wiedersehen!

Was kann man statt *Tschüs* sagen?

Gute Heimfahrt!

Gute Reise!

Ruf mich an!

Bis bald.

Schreib mal wieder!

Danke für alles!

F Björn kommt zu Hause an

Wenn Björn zu Hause ankommt, findet er viele
Briefe! Er hat Briefe von vielen Freunden
bekommen. Was sagen sie? Was haben sie
gemacht?

Glasgow, den dritten Juni

Grüß dich Björn

Wir sind am Freitag angekommen.
Das Flugzeug war Prima. Wir
sind um 10 Uhr von Frankfurt
abgeflogen und schon um eins
sind wir in Einzelnangelandet.
Die Golfplätze sind toll - Hast
Du denn je Golf gespielt? Ich
habe gestern zum erstenmal
gespielt. Die Freibäder sind auch
in Ordnung. Wir bleiben noch
3 Tage, also 7 Tage insgesamt.
Wann bist Du wiederda?

Tschüß

Yasmine

Wernigerode, den 17. August

Hallo Björn!
Wir sind im Harz. Warst Du schon in
Wernigerode? Es ist eine wunderschöne
mittelalterliche Stadt im Ostharz.
Wir sind mit dem Wagen über die
alte Grenze gekommen. Die Straßen
sind alle neu aber vieles ist wie
früher geblieben. Wir sind drei
Tage geblieben und bleiben
noch drei Tage bis zum 20.
August! Prima!
Tschaü Tschüß
Bis bald

Marven

Hi Björn   Pisa den 6. Juli

Wo warst denn Du letzte Woche? Ich bin in
Italien. Wir haben den schiefen Turm
besichtigt und sind auch einkaufen gegangen.
Ich bin gestern schwimmen gegangen - das
Wetter ist Prima. Nur das Essen schmeckt
mir nicht - furchtbar!
Tschüß Hanni.

Zusammenfassung   *Was habe ich gelernt?*

Wenn du fertig bist, mach einen Haken! Wenn du nicht fertig bist, versuch's noch einmal.

	Prima	Gut	Nicht sehr gut	Seite
Ich kann fragen:				
1 Hast du etwas vergessen?				**239**
2 Was hast du in den Ferien gemacht?				**242**
3 Wie war's?				**248**
Ich kann sagen:				
4 Der/die/das . . . ist im Wohnzimmer usw.				**239**
5 Ich habe . . . gekauft.				**242**
6 Ich bin nach . . . gefahren.				**242**
7 Es war . . . (schön, langweilig, fantastisch usw.).				**248**
8 Gute Heimfahrt! usw.				**251**

Wortschatz

If you are stuck for the meaning of a word, this is the place to look it up. First of all, a few words on the organisation of this vocabulary list:

- most verbs are given as they are found in the book. Many are also given under the infinitive form (which in English translates as 'to do something').
- nouns are given with their gender (*der*, *die* or *das*) with the plural form given in brackets after them. This means that if you see, for example, *das Buch (¨er)*, then the umlaut and the **er** are added to the word to form the plural: *die Bücher* – (books). If the bracket has an umlaut, then you add the umlaut to the last vowel in the word (as long as that vowel is an **a**, **o** or **u**). If two vowels fall together, the umlaut is added to the first vowel.

  der Apfel (¨) becomes *die Äpfel* (apples)
  das Haus (¨er) becomes *die Häuser* (houses)

- the number in brackets after the word shows the chapter in which that word first appeared.
- if you see a word followed by ★, this means that this word is one which is part of the Key Language for that unit, and is therefore an important one to learn. All other words are ones which occur during the book, but which you may only need to understand, rather than to use actively.

Of course, this vocabulary list has its limitations, and you will find that it does not always have the word in it that you are looking for, particularly if you are trying to find out the German word for an English word you want to use. In that case, you will have to use a dictionary, and the bigger, the better. To show the difference between a large dictionary and a small pocket-size dictionary, try looking up the word 'cut'. In the smaller dictionary, you may find three or four lines of words, but no real clue as to which one will fit in the sentence you are trying to say or write. In the bigger dictionary you will find something like this:

---

cut : In bold letters, this is the word you are looking for!

[kʌt] : The pronunciation is in square brackets.

(a),(b),(c),(d),(e) etc. These show the different meanings of the word, here, as a noun.

adj = adjective. This shows that the second use of the word is as an adjective. An adjective is a "describing" word.

vt or vi = verb. This shows that the third use of the word is as a verb. A verb is a "doing" word.

(a),(b),(c),(d) etc. These show the different meanings of the word, here, as a verb.

n = noun. This shows that the first use of the word is as a noun. A noun is an object, person or feeling.

m = masculine This shows that the noun before it is a "der" or "ein" word.

f = feminine. This shows that the noun before it is a "die" or "eine" word.

nt. = neuter This shows that the noun before it is a "das" or "ein" word.

~ This symbol replaces the word you looked up in the first place.

ties, links: The English words in italics explain exactly which meaning of the word "cut" is being translated.

---

cut [kʌt] (*vb: pret, ptp* ~) **1** *n* **(a)** (*result of cutting*) Schnitt *m*; (*wound also*) Schnittwunde *f*. **to make a ~ in sth** in etw (*acc*) einen Einschnitt machen.

(b) (*act of cutting, slash*) Schnitt *m*; (*with sword, whip*) Hieb, Schlag *m*. **his hair could do with a** ~ seine Haare könnten mal wieder geschnitten werden; **the ~ and thrust of politics/publishing** das Spannungsfeld der Politik/der Trubel des Verlagswesens; **the ~ and thrust of the debate** die Hitze der Debatte; **a ~ from his sword** ein Schlag mit seinem Schwert.

(c) (*reduction*) (*in gen*) (*in prices*) Senkung, Ermäßigung, Herabsetzung *f*; (*in quality*) Verminderung *f*; (*in quantity, length etc*) Verringerung *f*; (*in expenses, salaries*) Kürzung *f*; (*in working hours, holidays*) (Ver)kürzung *f*; (*in programme, text, film*) Streichung *f* (*in* in *+dat*); (*in production, output*) Einschränkung *f*; (*in expenditure, budget etc*) Kürzung, Einsparung *f*. **the censor had made so many** ~**s** die Zensur hatte so viel gestrichen; **he had to take a ~ in (his) salary** er mußte eine Gehaltskürzung hinnehmen.

(d) (*of clothes, hair*) Schnitt *m*; (*of jewel also*) Schliff *m*.

(e) (*of meat*) Stück *nt*. ~**s of meat are different here** das Fleisch wird hier anders geschnitten.

(f) (*inf: share*) Anteil *m*, Teil *m or nt*. **to get one's** ~ sein(en) Teil abbekommen.

(g) (*gibe*) Spitze *f*, spitze Bemerkung; (*action*) Beleidigung *f*. **the unkindest ~ of all** (*prov*) der schlimmste Schlag.

(h) (*short route*) Abkürzung *f*; (*connecting alley-way etc*) Verbindungsweg *m*.

(i) (*Sport*) **to give a ~ to the ball** den Ball anschneiden.

(j) (*Elec*) Unterbrechung *f* (*in gen*); (*planned*) Sperre *f*. **power/electricity** ~ Stromausfall *m*; (*planned*) Stromsperre *f*.

(k) (*Cards*) Abheben *nt*. **it's your** ~ du hebst ab.

(l) (*also* **wood**~) Holzschnitt *m*.

(m) he's a ~ above the rest of them er ist den anderen um einiges überlegen.

2 *adj* **(a)** *usu attr flowers, tobacco* Schnitt-; *bread* (auf)geschnitten; *grass* gemäht; *prices* ermäßigt, herabgesetzt, Billig-. **finely ~ features** feingeschnittene Züge *pl*; **a well-dress** ein gutgeschnittenes Kleid; ~**-and-dried** (*fig*) (*fixed beforehand*) abgesprochen, (*eine*) abgemachte Sache; (*fixed and unchangeable*) festgelegt; ~**-and-dried opinions** festgefahrene Meinungen *pl*; **as far as he's concerned the whole issue is now** ~**-and-dried** für ihn ist die ganze Angelegenheit erledigt; **it's not all that** ~**-and-dried** so eindeutig ist das nicht.

(b) *pred* (*inf: drunken*) voll (*inf*). **to be half** ~ einen in der Krone haben (*inf*).

3 *vt* **(a)** (*with knife, scissors*) schneiden; *grass* mähen; *cake* anschneiden; *rope* durchschneiden; (*Naut*) kappen; (~ **off**) abschneiden; (*with sword, axe*) abschlagen, abhacken. **to ~ one's finger/lip/leg** sich (*dat*) am Finger/an der Lippe/am Bein schneiden; (*with knife, razor etc also*) sich (*dat*) in den Finger/in die Lippe/ins Bein schneiden; **to ~ one's nails** sich (*dat*) die Nägel schneiden; **to ~ sth in half/three** etw halbieren/dritteln, etw in zwei/drei Teile schneiden; **the road** ~**s the village in two** die Straße schneidet das Dorf in zwei Teile; **to ~ to pieces** zerstückeln; *sb's reputation* zerstören; (*gunfire*) *enemy line* auseinanderreißen; **to ~ open** aufschneiden; **he ~ his head open** (*on stone etc*) er hat sich (*dat*) den Kopf aufgeschlagen; (*on nail etc*) er hat sich (*dat*) den Kopf aufgerissen; (*on blade etc*) er hat sich (*dat*) den Kopf aufgeschnitten; **to have or get one's hair** ~ sich (*dat*) die Haare schneiden lassen; **to ~ sb free/loose** jdn losschneiden.

(b) (*shape*) *steps* schlagen, hauen; *channel, trench* graben, ausheben; *figure* (*in wood*) schnitzen (*in aus*); (*in stone*) hauen (*in aus*); *glass, crystal, diamond* schleifen; *key* anfertigen; *record* pressen; (*singer*) machen. **to ~ one's coat according to one's cloth** (*Prov*) sich nach der Decke strecken; **to ~ a fine/sorry figure** eine gute/schlechte Figur machen *or* abgeben.

(c) (*fig: break off*) *electricity* abstellen; (*interrupt, accidentally*) unterbrechen; *gas also* (ab)sperren; *ties, links* abbrechen. **to ~ all one's ties** (*fig*) alle Verbindungen abbrechen (*with* zu); **to ~ sb short** (*fig*) jdm das Wort abschneiden; **to ~ sth short** etw vorzeitig abbrechen; **to ~ a long story short** kurz und gut, der langen Rede kurzer Sinn.

(d) (*ignore, avoid*) *person* schneiden. **to ~ sb dead** jdn wie Luft behandeln.

(e) (*skip, not attend*) *lecture, class* schwänzen (*inf*).

(f) (*intersect*) (*line*) schneiden; (*path, road*) kreuzen.

Of course, this might look a little confusing at first, but when you know what some of the most important symbols mean, then you will find a big dictionary far more helpful. Look at the page from the dictionary; see if you can find the German for 'cut' as in:

1 to cut with a knife
2 to cut the grass
3 a short cut
4 a haircut
5 a price cut
6 to cut the price
7 a power cut
8 a cut of meat
9 to cut (as in to miss) a lesson
10 a wound or injury

Now see if, using a dictionary in your school or town library, you can find out how to say the word 'spring' in German, as in:

11 the season
12 a leap
13 the spring in a bed or chair
14 source of water
15 to jump

Again, you will see that the one word in English might mean several different things, and that each of these meanings may be translated into German in a different way. If you need to look something up in a dictionary, make sure you use a dictionary which can give you plenty of help as to which word to choose.

One further tip: if you are still stuck, then try looking up the German word you have found in the German to English section of a large dictionary. This will normally help you decide whether the word you have chosen is the right one for the context.

Wortschatz: Deutsch – Englisch

A

ab zehn Uhr	from ten o'clock onwards (4) ★
der Abend (-e)	evening (1) ★
guten Abend!	good evening (1) ★
das Abendessen	evening meal (8) ★
abholen	to fetch or collect (7) ★
die Adresse (-n)	address (2) ★
ähnlich	similar (9)
allein	alone (7)
alles	everything, all (5) ★
Ist das alles?	Is that all? (5) ★
alt	old (1) ★
das Alter	age (3)
am besten	best of all (9)
am Montag	on Monday (6) ★
die Ampel (-n)	traffic lights (9) ★
am ersten April	on the first of April (7) ★
anbieten	to offer (8)
du bietest an	you offer (8)
das Andenken (-)	souvenir (10)
die anderen	the others (6)
anfangen	to begin (6)
angeln	to fish (11)
die Anmeldung (-en)	registration (14)
der Anruf (-e)	telephone call (7)
anrufen	to ring up (7) ★
anschalten	to switch on (9)
die Antwort (-en)	answer (7) ★
der Anwalt (¨e)	lawyer (14) ★
die Anwältin (-nen)	female lawyer (14) ★
die Anzeige (-n)	advertisement (13)
der Apfelsaft	apple juice (8) ★
April	April (7) ★
arbeiten	to work ★
er/sie arbeitet bei	he/she works at (7) ★
der Arzt (¨e)	doctor (13) ★
die Ärztin (-nen)	female doctor (14) ★
aufnehmen	to record (11)
ich habe aufgenommen	I recorded (11)
der Aufschnitt	cold meat selection (8) ★
aufschreiben	to write down (11)
die Aufschrift (-en)	title (9)
aufstehen	to get up (13)
auf Wiederhören	goodbye (on the telephone) (12)
auf Wiedersehen	goodbye (1) ★
auch	as well (1) ★
August	August (7) ★
aus	from (3) ★
der Ausdruck (¨e)	expression
der Ausflug (¨e)	expedition, trip (11)
einen Ausflug machen	to go on an expedition (11)
ausfüllen	to fill in (10)
auspacken	to unpack (8) ★
sich ausruhen	to have a rest (8) ★
die Aussage (-n)	statement (14)
der Ausschnitt (-e)	extract (11)
aussetzen	to miss a turn (6)
das Auto (-s)	car (6) ★
der Austausch (-e)	exchange (7)

B

der Bäcker (-)	baker (12) ★
beim Bäcker	at the baker's (12) ★
die Bäckerei (-en)	baker's (9) ★
sich baden	to have a bath (8) ★
der Bahnhof (¨e)	station (9) ★
das Badezimmer (-)	bath room (8) ★
die Bank (-en)	bank (9) ★
basteln	to make things (e.g. models) (11)
der Bauer (-n)	farmer (15) ★
das Bauernhaus (¨er)	farmhouse (8) ★
bedeuten	to mean (3)
die Bedingung (-en)	condition (11)
beginnen	to begin (6) ★
begrüßen	to greet (1)
behalten	to keep (3)
beim Arzt	at the doctor's (13)
beim Bäcker	at the baker's (12) ★
bekannt	well-known (4)
bekommen	to get, receive (6)
Belgien	Belgium (3) ★
benutzen	to use (2)
beraten	to advise (13)
der Beruf (-e)	job (14) ★
berühmt	famous (4)
die Beschäftigung (-en)	activity, occupation (11)
beschreiben	to describe (2)
besichtigen	to view, see (11)
bestellen	to order (5) ★
bestimmt	certainly, definitely (7)
besuchen	to visit (7)
beten	to pray (9)
das Bett (-en)	bed (6) ★
bewölkt	cloudy (3) ★
bezahlen	to pay (5)
das Bier (-e)	beer (5) ★
der Bierkrug (¨e)	beer mug (10) ★
bilden	to form (5)
das Bild (-er)	picture (6)
ich bin	I am (1) ★
Biologie	biology (6) ★
du bist	you are (1) ★
bis später	see you later (1) ★
blau	blue (10) ★
bleiben	to stay (13) ★
es blitzt	there's lightning (3) ★
blöd	stupid (9)
die Blume (-n)	flower (10) ★
die Bockwurst (¨e)	Frankfurter (5) ★
der Bogen (¨)	sheet of paper (4)
die Bratwurst (¨e)	fried sausage (5) ★
brauchen	to need (11) ★
ich brauche	I need (11) ★
die Braut (¨e)	bride (14) ★
der Bräutigam (-e)	bridegroom (14) ★
der Brief (-e)	letter (7) ★
der Brieffreund (-e)	penfriend (3)
die Briefmarke (-n)	stamp (4) ★
die Broschüre (-n)	brochure (11)
das Brot (-e)	bread (5) ★

das Brötchen (-)	bread rolls (8) ★
die Brücke (-n)	bridge (9) ★
der Bruder (¨)	brother (2) ★
das Buch (¨er)	book (4) ★
die Buchstabe (-n)	letter (2)
buchstabieren	to spell (2)
die Bundesrepublik Deutschland	The Federal Republic of Germany (3) ★
der Bungalow (-s)	bungalow (8) ★
der Bus (-se)	bus (6) ★
die Butter	butter (8) ★

C

der Campingplatz (¨e)	camp site (9) ★
campen	to camp (15)
Chemie	chemistry (6) ★
die Cola (-s)	coke (5) ★
der Computer (-)	computer (4) ★
die Currywurst (¨e)	curried sausage (5) ★

D

das Dach (¨er)	roof (14)
danke	thank you (1) ★
Dänemark	Denmark (3) ★
daneben	next to it (8) ★
ich bin dran	it's my turn (9)
du bist dran	it's your turn (9)
er ist dran	it's his turn (9)
darf ich . . . ?	may I . . . ? (7) ★
was darf es sein?	what would you like? (12) ★
das ist	that is (2) ★
dein	your (2) ★
Dein(e)	Yours (from a friend) (7) ★
ich denke	I think (4) ★
deutsch	German (language)
Deutsch	German (6) (school subject) ★
Deutschland	Germany (3) ★
ich mache Diät	I'm on a diet (8) ★
dich	you yourself ★
dick	fat (4) ★
Dienstag	Tuesday (6) ★
und dir?	and (how are) you? (1) ★
die Disco (-s)	disco (9) ★
der Dom (-e)	cathedral (9) ★
Donnerstag	Thursday (6) ★
drehen	to turn (9)
dritte	third (6) ★
es donnert	there's thunder (3) ★
das Doppelhaus (¨er)	semi-detached house (8) ★
dort	there (8) ★
dort drüben	over there (9) ★
die Dose (-n)	can, tin (12) ★
dumm	stupid (4) ★
dünn	thin (14)
durch	divided by (also means 'through') (5) ★
durcheinander	mixed up, in a mess (6)
der Durchfall (¨e)	diarrhoea (13) ★
durchsägen	to saw through (14)
sich duschen	to have a shower (8) ★

E

die Ecke (-n)	corner (8)
das Ehepaar (-e)	married couple (14)
das Ei (-er)	egg (12) ★
eigentlich	actually (9)
die Eigenschaft (-en)	personal trait
die Eigentumswohnung (-en)	a bought flat (8) (see also Miet-)
ich habe es eilig	I'm in a hurry (5)
einfach	easy (6) ★
einfach klasse	simply great (11) ★
das Einfamilienhaus (¨er)	detached house (8) ★
einige	several, some (3)
einkaufen	to shop (4) ★
die Einkaufsliste (-n)	shopping list (12) ★
das Einkaufszentrum (-zentren)	shopping centre (9) ★
einladen	to invite (7)
die Einladung (-en)	invitation (14)
einmal	once (10)
einmal nach Stuttgart	one ticket to Stuttgart (10) ★
eintragen	to fill in (a form) (5)
die Einweihungsparty (-s)	house-warming party (14) ★
das Einzelkind (-er)	only child (2) ★
die Eltern	parents (5)
enden	to end (6) ★
England	England (3) ★
englisch	English (language) ★
Englisch	English (school subject) ★
entführen	to kidnap (14)
entschuldigen Sie	excuse me (9)
Entschuldigung	excuse me (10)
die Entschuldigung (-en)	excuse
er	he (2) ★
im Erdgeschoß (-sse)	on the ground floor (8) ★
Erdkunde	Geography (6) ★
das Ergebnis (-se)	result (2)
ernst	serious (4) ★
erste	first (6) ★
der Erwachsene (-n)	adult (15)
erzählen	to tell (4)
essen	to eat (8) ★
ich esse . . .	I'll eat . . . (5); I eat ★
ich esse gern	I like eating (8) ★
im ersten Stock	on the first floor (8) ★
europäisch	european (9)

F

das Fach (¨er)	school subject (6) ★
fahren	to travel (4) ★
ich fahre Rad	I ride my bike (4) ★
ich fahre Ski	I ski (4) ★
der Fahrplan (¨e)	bus/train timetable
er fährt	he travels, goes (6)
falsch	wrong, false (2) ★
die Familie (-n)	family (7) ★
faul	lazy (4) ★
das Fax	fax (7) ★
Februar	February (7) ★
fehlen	to be missing (9)
die Feier (-n)	party, celebration (14) ★
feiern	to celebrate (14) ★
das Feld (-er)	square (on a board) (6)
die Ferien	holidays (7) ★
fernsehen	to watch TV (4) ★
der Fernsehsender (-)	transmitter, TV station (3) ★
fertig	ready, finished (1)
das Fett	fat (12)
finden	to find (6) ★
ich finde	I find (6) ★
wie findest du . . . ?	what do you think of . . . ? ★
der Fisch (-e)	fish (2) ★
die Fläche (-n)	surface (9)
die Flasche (-n)	bottle (12) ★
das Fleisch	meat (8) ★
der Fleischer (-)	butcher

fleißig	hard-working (4) ★
folgend	following (2)
die Forelle (-n)	trout (12)
das Foto (-s)	photo (6)
der Franken	Swiss franc (5) ★
Frankreich	France (3) ★
französisch	French (language)
Französisch	French (school subject) (6) ★
Freitag	Friday (6) ★
die Freizeit	free time (4) ★
das Freibad (¨er)	open-air swimming pool (9) ★
ich freue mich auf . . .	I'm looking forward to . . . (7)
der Freund (-e)	friend (4) ★
die Freundin (-nen)	female/girl friend (4) ★
der Frieden	peace (11)
die Frikadelle (-n)	rissole (5) ★
die Frucht (¨e)	fruit (12)
das Frühstück	breakfast (8) ★
ich frühstücke	I have breakfast (6) ★
fühlen	to feel (13)
ich fühle mich nicht wohl	I don't feel well (13)
füllen	to fill (10)
furchtbar	terrible (1) ★
der Fuß (¨sse)	foot (6) ★
zu Fuß	on foot (6) ★
Fußball (¨e)	football ★
die Fußgängerzone (-n)	pedestrian precinct (9) ★

G

ganz	quite, completely (2)
der Gast (¨e)	guest (8)
der Gastgeber (-)	host (8)
das Gästezimmer (-)	spare room (7)
gebaut	built (9) ★
geben	to give (6)
ich gebe mein Geld aus	I spend my money (10)
sehr geehrter Herr Schmidt	Dear Mr Schmidt (7) ★
sehr geehrte Frau Schmidt	Dear Mrs Schmidt (7) ★
die Gefahr (-en)	danger (3)
ich bin gefahren	I went, travelled (15) ★
gefährdet	endangered (3)
ich bin gefallen	I fell (15) ★
es gefällt mir	I like it (11) ★
es gefällt mir nicht	I don't like it (11) ★
ich bin geflogen	I flew (15) ★
ich bin gegangen	I went, walked (15) ★
ich habe gegessen	I have eaten (13) ★
gehen	to go (5) ★
ich gehe in die Stadt	I go to town (4) ★
ich gehe einkaufen	I go shopping (4) ★
ich gehe ins Kino	I go to the cinema (4) ★
ich gehe spazieren	I go for walks (4) ★
gehen Sie . . . !	(you) go . . . ! (9)
geheim	secret (2)
es gehört zu . . .	it belongs to . . . (2)
geht das?	is that OK? (5) ★
das geht!	that's OK (5) ★
das geht nicht	that's not OK (5) ★
es geht mir gut	I'm alright (1) ★
es geht so	things are OK (1) ★
die Geige (-n)	violin (4) ★
ich habe gekauft	I bought (11) ★
es hat . . . gekostet	it cost (10) ★
gelb	yellow (10) ★
das Geld (-er)	money (11) ★
die Gelegenheit (-en)	opportunity (14)
ich habe gemacht	I did, made (15) ★
gemein	rotten , mean (4) ★

genau	exactly (13)
geradeaus	straight ahead (9) ★
die Gesamtschule (-n)	comprehensive school ★
das Geschäft (-e)	shop (9) ★
die Geschäftsfrau (-en)	businesswoman (14) ★
der Geschäftsmann (¨er)	businessman (14) ★
die Geschäftsleute	business people
das Geschenk (-e)	present (10) ★
die Geschichte	history (6) ★
die Geschichte (-n)	story (15)
das Geschirr	crockery (14)
ich habe geschlafen	I slept (13) ★
die Geschwister	brothers and sisters (2) ★
ich habe gesehen	I saw (15) ★
ich habe gespielt	I played (15) ★
das Gespräch (-e)	conversation (3)
ich bin gesprungen	I jumped (15) ★
gestern	yesterday (13)
gesund	healthy (13)
die Gesundheit	health (13)
ich habe getanzt	I danced (15) ★
ich habe getrunken	I drank (13) ★
ich bin gewesen	I was (14) ★
gewinnen	to win (10)
ich habe gewonnen	I won (5)
das Gewürz (-e)	spice (13)
was gibt es hier?	what is there here? (9) ★
es gibt . . .	there is . . . (9) ★
gibt es hier einen/eine/ein . . . ?	is there a . . . here? (9)
die Gitarre (-n)	guitar (4) ★
das Glas (¨er)	a glass (5); jar (12) ★
(ist) gleich	equals (5) ★
gleichfalls	same to you (10)
golden	golden (14) ★
die goldene Hochzeit (-en)	golden wedding (14) ★
grau	grey (10) ★
Griechenland	Greece
groß	tall , big (4) ★
der Groschen (-)	Austrian 'penny' (5) ★
grün	green (10) ★
die Gruppe (-n)	group (1)
Grüß Gott!	hello (in South Germany and Austria only) (1) ★
Grüß dich!	hi! (1) ★
die Gulaschsuppe (-n)	gulasch soup (5) ★
der Gummiknochen (-)	rubber bone (10) ★
die Gurke (-n)	cucumber (8) ★
gut	good, fine (1) ★
das Gymnasium (Gymnasien)	grammar school (6) ★

H

haben	to have
ich habe	I have (2) ★
der Haken	tick (1)
es ist halb zehn	it is half past nine (6) ★
die Hälfte (-n)	half (6)
Hallo!	hello (1) ★
der Hals (¨e)	throat (13) ★
das Hähnchen (-)	chicken (8) ★
das Hallenbad (¨er)	indoor pool (9) ★
der Hamster (-)	hamster (2) ★
der Handball (¨e)	handball (4) ★
du hast	you have (2) ★
ich hatte	I had (13) ★
ich hätte gern . . .	I'd quite like . . . (5) ★
häufig	frequent(ly) (9)

am häufigsten	*the most frequently (9)*	die Karte (-n)	*card (4); ticket (10)* ★
das Haustier (-e)	*pet (2)* ★	die Kartoffel (-n)	*potato (8)* ★
die Hausaufgaben	*homework (6)* ★	der Käse	*cheese (8)* ★
die Hauswirtschaftslehre	*Home economics (6)* ★	die Katze (-n)	*cat (2)* ★
das Heft (-e)	*exercise book (1)* ★	kaufen	*to buy (11)* ★
die Heimfahrt (-en)	*journey home (15)* ★	das Kaufhaus (¨er)	*department store (10)*
heiß	*hot (3)* ★	kegeln	*to bowl (11)*
ich heiße	*I am called (1)* ★	keine	*no (2)* ★
sie heißen	*they are called* ★	kennenlernen	*to get to know (12)* ★
wie heißen sie?	*what are they called? (2)* ★	ich habe kennengelernt	*I got to know (15)* ★
der Held (-en)	*hero (10)*	das Kilo	*kilo (12)* ★
helfen	*to help (4)*	das Kino (-s)	*cinema (4)* ★
herzlich	*warmly (14)* ★	das Kind (-er)	*child (9)*
heute	*today (11)* ★	der Kinderspielplatz (¨e)	*children's play area (9)* ★
hier	*here (8)* ★	die Kirche (-n)	*church (9)* ★
hilf ihm!	*help him! (8)*	kirchlich	*religious (14)* ★
der Hinweis (-e)	*direction (9)*	die Klappe (-n)	*flap (9)*
das Hobby (-s)	*hobby (4)* ★	die Klarinette (-n)	*clarinet (4)* ★
die Hochzeit (-en)	*wedding (14)* ★	die Klasse (-n)	*class (6)* ★
die Hochzeitsreise (-n)	*honeymoon (14)*	klasse	*great, fantastic (11)*
höflich	*polite (8)*	der Klassenlehrer (-)	*class teacher (6)* ★
holen	*to fetch (12)* ★	das Klavier (-e)	*piano (4)* ★
hören	*to listen (4)* ★	kleben	*to stick (2)*
das Hotel (-s)	*hotel (9)* ★	klein	*small (4)* ★
der Hund (-e)	*dog (2)* ★	klingeln	*to ring (6)*
ich habe Hunger	*I'm hungry (8)* ★	das Klo (-s)	*toilet (8)* ★
hupen	*to hoot (14)*	klug	*clever (4)* ★
		das Kochbuch (¨er)	*cookery book (12)*
I		der Koffer (-)	*suitcase (8)* ★
ihr	*you (plural) (4); her (8)*	der Kohl	*cabbage (8)* ★
Ihr (-e)	*Yours (formal) (7)* ★	der Kollege (-n)	*colleague (7)*
der Imbißstand (¨e)	*snack stall (5)*	die Kollegin (-nen)	*female colleague (11)*
immer	*always (13)*	kommen	*to come*
innen	*inside (9)*	ich komme	*I come (3)* ★
insgesamt	*in total (7)*	ich komme . . . an	*I arrive (6)* ★
Italien	*Italy (3)* ★	wie komme ich zu . . . ?	*how do I get to . . . ? (9)*
im April	*in April (7)* ★	du kommst	*you come (3)* ★
die Informatik	*computer studies/information technology (6)* ★	die Konditorei (-en)	*cake shop (9)* ★
		die Konfirmation (-en)	*confirmation (14)* ★
der Ingenieur (-e)	*engineer (14)* ★	wir können	*we can (5)* ★
das Inserat (-e)	*advertisement (13)*	Sie können	*you can (polite) (7)* ★
interessant	*interesting (6)* ★	ihr könnt	*you can (plural) (1)*
irgendwann	*sometime (11)*	der Kopf (¨e)	*head (13)*
Ißt du gern . . . ?	*do you like eating . . . ? (8)* ★	der Körper (-)	*body (13)*
er ißt	*he eats* ★	der Körperteil (-e)	*part of the body (13)*
		kosten	*to cost (5)* ★
J		was kostet . . . ?	*what does . . . cost? (5)* ★
das Jahr (-e)	*year (1)* ★	krank	*ill (13)* ★
Januar	*January (7)* ★	das Krankenhaus (¨er)	*hospital (9)* ★
jeder	*each (1)*	die Krankenschwester (-n)	*nurse (14)* ★
jetzt	*now (1)*	die Krankheit (-en)	*illness (13)*
Judo	*judo (4)* ★	die Kräuter	*herbs (12)*
die Jugendherberge (-n)	*youth hostel (9)* ★	das Kreuz (-e)	*cross (1)*
Jugoslawien	*Yugoslavia (3)* ★	die Küche (-n)	*kitchen (8)* ★
Juli	*July (7)* ★	der Kuchen (-)	*cake (5)* ★
jung	*young (8)*	der Kuli (-s)	*biro (10)* ★
Juni	*June (7)* ★	der Kunde (-n)	*customer (12)* ★
		Kunst (¨e)	*art (6)* ★
K		kurz	*short (7)*
der Kaffee	*coffee (5)* ★		
der Käfig (-e)	*cage (2)*	**L**	
kalt	*cold (3)* ★	ich lade . . . ein	*I invite (14)* ★
mir ist kalt	*I am cold (13)* ★	wir laden . . . ein	*we invite (14)* ★
das Kaninchen (-)	*rabbit (2)* ★	der Laden (¨)	*shop (12)* ★
ich kann	*I can (7)* ★	der Ladenbesitzer (-)	*shopkeeper (12)* ★
man kann	*you/one can (9)* ★	das Land (¨er)	*country, countryside (8)* ★
du kannst	*you can (7)* ★	auf dem Lande	*in the country* ★
Karate	*karate (4)* ★	die Landschaft (-en)	*countryside (11)*

langweilig	boring (6) ★
Latein	Latin (6) ★
laufen	to run (13) ★
die Laune (-n)	mood (14)
laut	loud (15)
leben	to live (4)
das Lebensmittel (-)	food (8)
der Leberkäse	a kind of meatloaf (5) ★
du lebst	you live (4)
lecker	delicious (8) ★
ledig	single, unmarried (14) ★
der Lehrer (-)	male teacher (6) ★
die Lehrerin (-nen)	female teacher ★
leider	unfortunately (10)
lernen	to learn (6)
ich lese	I read (4) ★
lesen	to read (4) ★
der Leser (-)	reader (3)
Liebe(r)	Dear (letter to friend) (7) ★
das liegt	that is situated (3) ★
das Lieblingsfach (¨er)	favourite subject (6) ★
lies!	read! (4)
du liest	you read (4)
lila	lilac (10)
die Limonade (-n)	lemonade (8) ★
die Linie (-n)	line (9)
links	left (9) ★
der LKW (-s) (Lastkraftwagen)	lorry (14)
der LKW-Fahrer (-)	lorry-driver (14)
das Loch (¨er)	hole, gap (13)
was ist los?	what's up?, what's happening? (13)
wir fahren los	let's go (10)
die Lücke (-n)	gap (6)
die Lust	desire (11)
ich habe keine Lust	I don't want to (11) ★
lustig	amusing (4) ★

M

machen	to do, make
ich mache	I do (4) ★
du machst	you do (4) ★
was macht das?	what does that come to? (5) ★
der Magen	stomach (13) ★
Mai	May (7) ★
mal	times (5) ★
malen	to paint (4) ★
die Margarine	margarine (12)
die Mark	German mark (5) ★
der Markt (¨e)	market (9) ★
der Marktplatz (¨e)	market square (9) ★
März	March (7) ★
Mathe	Maths (6) ★
die Maus (¨e)	mouse (2) ★
die Mayonnaise	mayonnaise (5) ★
der Mechaniker (-)	mechanic (14) ★
das Meerschweinchen (-)	guinea pig (2) ★
das Mehl	flour (12)
mehr	more (13) ★
mein/meine	my (2) ★
die Menschenfamilie	human family (2)
merkwürdig	remarkable (3)
der Metzger (-)	butcher (12) ★
beim Metzger	at the butcher's (12) ★
mich	me (7) ★
die Mietwohnung (-en)	rented flat (9) ★
die Milch	milk (8) ★

das Mineralwasser	mineral water (8) ★
mit	with (5) ★
Mittag (-e)	midday (5) ★
das Mittagessen (-)	lunch (8) ★
die Mittagspause (-n)	the lunch break (6) ★
die Mitte	middle (3) ★
in der Mitte von	in the middle of (3) ★
Mitternacht (¨e)	midnight (6) ★
Mittwoch	Wednesday (6) ★
möchtest du . . . ?	Would you like . . . ? (5) ★
ich möchte . . .	I would like . . . (5) ★
der Monat (-e)	month (13)
Montag (-e)	Monday (6) ★
morgen	tomorrow (11) ★
der Morgen (-)	morning (1) ★
guten Morgen	good morning (1) ★
morgens	in the morning (6)
müde	tired (7)
das Museum (Museen)	museum (9) ★
die Musik	music ★
ich muß	I must (11) ★
du mußt	you must (5)
die Mutter (¨)	mother (2) ★

N

nach	after (14), to, past (7) ★
nach England	to England (7) ★
der Nachmittag (-e)	afternoon (5)
der Nachtisch (-e)	pudding (8)
zum Nachtisch	for pudding (8)
nächst	next (10)
in der Nähe von . . .	near (3) ★
naß	wet (15)
natürlich	naturally, of course (5)
neblig	foggy (3) ★
nehmen	to take (9) ★
ich nehme . . .	I'll have . . . (5) ★
nehmen Sie . . .	you take . . . (9) ★
nett	nice (4) ★
nicht	not (1) ★
nicht gern	'don't like' (8) ★
nichts	nothing (11) ★
die Niederlande	Holland (3) ★
er nimmt	he takes (8)
sonst noch etwas?	anything else? (12) ★
Norddeutschland	North Germany (3) ★
nördlich von	to the north of (3) ★
normalerweise	normally (8)
notieren	to note (7)
November	November (7) ★
nützlich	useful (7)

O

das Obst	fruit (8) ★
öffnen	to open (9)
oft	often (8)
ohne	without (5) ★
der Ohrring (-e)	ear-ring (10) ★
das Öl (-e)	oil (12)
die Oma (-s)	grandmother (7) ★
der Onkel (-)	uncle (7) ★
der Opa (-s)	grandfather (7) ★
Ostdeutschland	East Germany (3) ★
Ostern	Easter (7) ★
Österreich	Austria (3) ★
östlich von	to the east of (3) ★

P

ein paar	*a few (12)* ★
packen	*to pack (6)*
die Packung (-en)	*pack (12)* ★
der Papagei (-en)	*parrot (2)* ★
der Park (-s)	*park (9)* ★
das Parkhaus (¨er)	*multi-storey car park (9)* ★
die Party (-s)	*party (14)* ★
passen	*to fit (1)*
passend	*suitable (5)*
die Pause (-n)	*break (6)* ★
die Pfanne (-n)	*pan (8)*
der Pfeffer	*pepper (8)* ★
der Pfennig (-e)	*German penny (5)* ★
das Pferd (-e)	*horse (2)* ★
Pfingsten	*Whitsun (7)* ★
das Pfund	*pound (12)*
die Physik	*physics (6)* ★
der Pilz (-e)	*mushroom (13)*
der Plan (¨e)	*plan (8)*
die Platte (-n)	*record (10)* ★
plaudern	*to chat (14)*
Polen	*Poland (3)* ★
die Polizei	*police (1)*
der Polizist (-en)	*policeman (14)* ★
die Polizistin (-nen)	*policewoman (14)* ★
der Polterabend	*stag/hen night (14)*
die Portion (-en)	*portion (5)* ★
eine große Portion	*big portion (5)* ★
eine kleine Portion	*small portion (5)* ★
Portugal	*Portugal (3)* ★
die Post	*post office (9)* ★
das Poster (-)	*poster (10)* ★
die Postkarte (-n)	*postcard (7)* ★
die Postleitzahl (-en)	*post code (7)*
die Pralinen (pl)	*pralines, chocolates (10)* ★
die Praxis (Praxen)	*practice (13)*
die Preisliste (-n)	*price list (5)*
prima	*great (1)* ★
der Pullover (-)	*pullover (10)* ★
pünktlich	*punctual(ly) (7)*
die Puppe (-n)	*doll (10)* ★
ich putze mir die Zähne	*I brush my teeth (6)* ★

Q

das Quadrat (-e)	*square (9)*

R

das Rad (¨er)	*bicycle (6)* ★
radfahren	*to ride a bike (4)* ★
der Radiergummi (-s)	*rubber (1)* ★
der Rappen (-)	*Swiss penny (5)* ★
raten	*to guess (10); to advise (13)*
du rätst	*you guess*
das Rathaus (¨er)	*town hall (9)* ★
das Rätsel (-)	*puzzle (3)*
die Realschule (-n)	*secondary modern (6)* ★
regnerisch	*rainy (3)*
es regnet	*it's raining (3)* ★
das Reihenhaus (¨er)	*terraced house (8)* ★
der Reis	*rice (8)* ★
die Reise (-n)	*journey (7)*
reiten	*to ride (4)* ★
die Reklame (-n)	*advertisement (10)*
das Restaurant (-s)	*restaurant (9)* ★
das Resultat (-e)	*result (4)*
das Rezept (-e)	*recipe (8)*
die Richtung (-en)	*direction (9)*

die Rolle (-n)	*rôle (8)*
der Roman (-e)	*novel, book (10)* ★
rosa	*pink (10)* ★
rot	*red (10)* ★
der Rotwein	*red wine (8)* ★
die Rückseite (-n)	*reverse side (9)*
rufen	*to call (8)*
ruf mich an!	*ring me (15)* ★
ich rufe an	*I ring (5)*
er ruft an	*he rings (5)*
der Rundfunk	*radio (3)*
Russisch	*Russian (9)*
Rußland	*Russia (3)*

S

die Sache (-n)	*thing (10)*
der Salat (-e)	*salad (8)* ★
das Salz	*salt (8)* ★
sammeln	*to collect (4)* ★
ich sammle	*I collect (4)* ★
Samstag	*Saturday (6)* ★
satt	*full (8)* ★
der Satz (¨e)	*sentence (6)*
die Sauerkirsche (-n)	*Morello cherry (12)*
die Schachtel (-n)	*box (12)* ★
das ist schade	*that's a shame (9)*
der Schal (-s)	*scarf (10)* ★
die Schallplatte (-n)	*record*
der Schalter (-)	*counter (7)*
der Schaschlik	*kebab (5)* ★
schicken	*to send (7)* ★
der Schilling	*Austrian schilling (5)* ★
die Schildkröte (-n)	*tortoise (2)* ★
der Schinken (-)	*ham (8)* ★
der Schlaf	*sleep (6)*
die Schlagsahne	*whipped cream (8)* ★
die Schlange (-n)	*snake (2)* ★
sie stehen Schlange	*they are queuing (10)*
schlank	*slim (4)* ★
schlecht	*bad (1)* ★
mir ist schlecht	*I feel bad, poorly (13)* ★
schließen	*to close (9)*
schmecken	*to taste (8)* ★
er schneidet . . . auf	*he cuts up (cake) (14)*
es schneit	*it's snowing (3)* ★
schnell	*quick(ly) (12)* ★
der Schnellimbiß (-sse)	*quick snack (5)*
der Schnupfen	*snuffle, cold (13)* ★
die Schnur (¨e)	*string (15)*
die Schokolade	*chocolate (8)* ★
schön	*nice (11)* ★
Schottland	*Scotland (3)* ★
der Schrank (¨e)	*cupboard (12)*
schrecklich	*terrible (11)* ★
schreiben	*to spell, write (1)* ★
das Schreibpapier	*writing paper (10)* ★
die Schule (-n)	*school (6)* ★
in der Schule	*in school (6)* ★
zur Schule	*to school (6)* ★
der Schüler (-)	*pupil (male) (6)* ★
die Schülerin (-nen)	*pupil (female) (6)* ★
die Schultasche (-n)	*school bag (6)*
der Schwager (¨)	*brother-in-law (14)* ★
die Schwägerin (-nen)	*sister-in-law (14)* ★
schwarz	*black (10)* ★
das Schweinefleisch	*pork (12)*
das Schweinesteak (-s)	*pork steak (12)*

die Schweiz	*Switzerland (3)* ★
schwer	*hard (6)* ★
die Schwester (-n)	*sister (2)* ★
das Schwimmbad (¨er)	*swimming pool (9)* ★
schwimmen	*swimming (4)* ★
schwindlig	*dizzy (13)* ★
mir ist schwindlig	*I feel dizzy (13)* ★
der See (-n)	*lake (9)* ★
die See	*sea*
sehen	*to see, watch*
ich sehe fern	*I watch TV (4)* ★
sehr	*very (1)* ★
das Seil (-e)	*rope (15)*
sein	*to be (8)*
die Seite (-n)	*side, page (8)* ★
auf der linken Seite	*on the left-hand side (8)* ★
auf der rechten Seite	*on the right-hand side (8)* ★
die Sekretärin (-nen)	*secretary (11)*
seltsam	*peculiar (15)*
der Senf	*mustard (5)* ★
September	*September (7)* ★
sich	*himself/herself/oneself (8)* ★
sicher	*sure, certain(ly) (9)*
sichtbar	*visible (9)*
sie	*she (2)* ★; *they* ★
sie sind	*they are (2)* ★
der Ski (-er)	*ski (4)* ★
skifahren	*to ski (4)* ★
die Socke (-n)	*sock (10)* ★
sofort	*immediately (7)*
solch	*such (7)*
ich sollte	*I ought (13)* ★
du solltest	*you ought (13)* ★
der Sommer (-)	*summer (11)*
das Sonderangebot (-e)	*special offer (10)*
die Sonne (-n)	*sun (3)* ★
der Sonnenbrand (¨e)	*sunburn (13)* ★
sonnig	*sunny (3)* ★
Sonntag (-e)	*Sunday (6)* ★
die Soße (-n)	*sauce, gravy (8)*
Sozialkunde	*Social studies/PSE (6)* ★
Spanien	*Spain* ★
spannend	*exciting (9)*
spät	*late (6)*
wie spät ist es?	*what's the time? (6)* ★
später	*later (6)*
die Sparkasse (-n)	*savings bank (9)* ★
spazierengehen	*to stroll (4)* ★
ich bin spazierengegangen	*I went for a walk (15)* ★
der Spaziergang (¨e)	*walk, stroll (15)* ★
die Speisekarte (-n)	*menu (5)*
spielen	*to play (4)* ★
das Spielzeug (-e)	*toy (10)* ★
sportlich	*sporty (4)* ★
die Sprechblase (-n)	*speech bubble (4)*
das Stadion (Stadien)	*stadium (9)* ★
die Stadtmitte	*town centre (8)* ★
der Stammbaum (¨e)	*family tree (14)*
das Standesamt (¨er)	*registry office (14)*
ich stehe . . . auf	*I get up . . . (6)* ★
eine Frage stellen	*to ask a question (1)*
der Stiefvater (¨)	*stepfather (14)* ★
der Stock (Stockwerke)	*floor, storey (8)* ★
das Stofftier (-e)	*cuddly toy animal (10)*
der Storch (¨e)	*stork (14)*
die Straße (-n)	*street (2)* ★
die Straßenbahn (-en)	*tram (6)* ★
das Stück (-e)	*piece (5); play (15)* ★
die Stunde (-n)	*lesson (6)* ★
stundenlang	*for hours (11)*
suchen	*to look for (1)*
Süddeutschland	*South Germany (3)* ★
südlich von	*to the south of (3)* ★
der Supermarkt (¨e)	*supermarket (9)* ★
süß	*sweet (14)*

T

die Tabelle (-n)	*table, grid (1)*
die Tablette (-n)	*pill (13)* ★
der Tag (-e)	*day (1)* ★
guten Tag!	*good day (1)* ★
Tag!	*hi! (1)* ★
die Tagesschau (-en)	*TV news (6)*
die Tankstelle (-n)	*petrol station (9)* ★
die Tante (-n)	*aunt (7)* ★
der Tanz (¨e)	*dance*
tanzen	*to dance (4)* ★
die Tasche (-n)	*bag (10)* ★
das Taschentuch (¨er)	*handkerchief (10)* ★
die Tasse (-n)	*cup (5)* ★
der Tee	*tea (5)* ★
das Telefonbuch (¨er)	*telephone directory (5)*
telefonieren mit	*to phone (5)*
die Telefonnummer (-n)	*telephone number (5)*
die Telefonzelle (-n)	*telephone box (9)* ★
der Tennisplatz (¨e)	*tennis court (9)* ★
der Termin (-e)	*date (7)*
der Terminkalender (-)	*diary (5)*
das Tier (-e)	*animal (3)* ★
der Tierarzt (¨e)	*vet (14)* ★
die Tierhandlung (-en)	*pet shop (3)*
das Tischtennis	*table tennis (4)* ★
die Toilette (-n)	*toilet (8)* ★
toll	*great (9)* ★
die Tomate (-n)	*tomato (8)* ★
tot	*dead (14)*
die Träne (-n)	*tear (11)*
das Transportmittel (-)	*method of transport (6)*
der Trauspruch (¨e)	*verse from the Bible (at a wedding) (14)*
die Trauung (-en)	*wedding (14)*
der Traum (¨e)	*dream (6)*
(sich) treffen	*to meet (1)* ★
er trifft (*from* treffen)	*he meets (7)*
Sport treiben	*to do sport (13)* ★
die Treppe (-n)	*stairs (8)*
trinken	*to drink (8)* ★
ich trinke	*I drink (6)* ★
ich trinke (nicht) gern	*I (don't) like drinking (8)* ★
der Truthahn	*turkey (12)*
das T-Shirt (-s)	*t-shirt (1)* ★
tun	*to do (13)* ★
die Tür (-en)	*door (14)*
der Tag der offenen Tür	*open day (14)*
mir tut der Kopf weh	*I have a headache (13)* ★
das Turnen	*gymnastics (4)* ★
die Tüte (-n)	*little packet, bag (of sweets etc.) (4)* ★

U

über	*over (9)* ★
übernehmen	*to take over*
die Uhr (-en)	*clock, watch (5)* ★
um	*at (6)* ★
um neun Uhr	*at nine o'clock (5)* ★
um vier Uhr	*at four o'clock (5)* ★

umdrehen	to turn over (9)
die Umfrage (-n)	survey (4)
umklappen	to fold over (9)
der Umschlag (¨e)	envelope (7)
und	and (1) ★
ungefähr	approximately, about (3)
unser, unsere	our (4)
der Unsinn	nonsense, rubbish (11)
unsportlich	unsporty (4) ★
das Untergeschoß (-sse)	basement floor (10) ★
der Unterricht	lessons (6) ★
unterrichten	to teach (6)
der Urlaub	holiday (11)
Urlaub machen	to go on holiday (11)

V

der Vater (¨)	father (2) ★
verbessern	to correct, improve (6)
verbinden	to join, link (1)
verbrannt	burnt (15)
der Verein (-e)	club (4)
ich habe vergessen	I forgot (15) ★
vergleichen	to compare (2)
verkaufen	to sell (12)
das Verkehrsamt (¨er)	tourist office (9) ★
verlassen	to leave ★
ich verlasse das Haus	I leave the house (6) ★
verschieden	differing (3)
verschreiben	to prescribe (13)
versehen mit	to provide with (9)
verstehen	to understand (4)
sich verstehen mit	to get on well with (4)
wir verstehen uns gut	we get on well (4)
vervollständigen	to complete (8)
der Verwandte (-n)	relative (14)
verwitwet	widowed (14)
vielleicht	perhaps (9)
das Viertel	quarter (6) ★
es ist Viertel nach zehn	it is quarter past ten ★
von	of (11) ★
vorherig	previous (14)
der Vorschlag (¨e)	suggestion (13)
vorstellen	to introduce (7) ★

W

ich wache auf	I wake up (6) ★
wählen	to choose (5)
der Wahnsinn	madness (11)
während	during (8)
wandern	to go on long walks/hikes (9)
die Wanderung (-en)	hike (11) ★
eine Wanderung machen	to go on a long hike (11) ★
wann?	when? (6)
es war	it was (11) ★
wie war's?	what was it like? (11) ★
die Ware (-n)	wares, goods (12)
warm	warm (3) ★
mir ist warm	I'm warm (13) ★
das wär's?	is that all? (5) ★
warten	to wait (7)
was?	what? (3)
was für . . . ?	what sort of . . . ? (5)
ich wasche mich	I have a wash (6) ★
der Wecker (-)	alarm clock (6) ★
der Weg (-e)	way (9) ★
wehtun	to hurt (13)
es tut mir weh	it hurts

Weihnachten	Christmas (7) ★
weiß	white (10) ★
ich weiß (from wissen)	I know (1) ★
ich weiß nicht	I don't know (1) ★
weit	far (3)
weiter	further (8)
welch (-e/-er)	which (1)
der Wellensittich (-e)	budgie (2) ★
der Wein (-e)	wine (8) ★
der Weißwein	white wine (8) ★
wenn	if (11) ★
wer?	who? (3)
die Werbung	advertising, advertisement (13)
werfen	to throw (9)
du wirfst (from werfen)	you throw
das Werken	technology (6) ★
Westdeutschland	West Germany (3) ★
westlich von	to the west of (3) ★
das Wetter	weather (3) ★
der Whisky	whisky (8) ★
wieder	again (15)
wie geht's?	how are you? (1) ★
wie heißt du?	what are you called? (1) ★
wie?	how? (1) ★
ich will (from wollen)	I want (5)
windig	windy (3)
winken	to wave (14)
der Winter (-)	winter (11)
das Wirtshaus (¨er)	pub (14)
wissen	to know (5)
ich weiß	I know
du weißt	you know
er weiß	he knows
woher?	where from? (3) ★
wohin?	where to? (10)
wohnen	to live
ich wohne	I live (3) ★
du wohnst	you live (2) ★
der Wohnort (-e)	place of residence (9)
die Wohnung (-en)	flat (8) ★ (see also Eigentums- and Miet-)
sie wollen	they want (10)
ich wollte	I wanted (9)
der Würfel (-)	die/dice (11)
würfeln	to throw the dice (11)
es wurde gebaut	it was built (9) ★
ich würde lieber	I would rather (11) ★
die Wurst (¨e)	sausage (8) ★
das Wohnzimmer (-)	living room (8) ★
die Wüstenspringmaus (¨e)	gerbil (2) ★

Z

die Zahl (-en)	figure, number (1)
der Zahn (¨e)	tooth (6) ★
das Zeichen (-)	sign (3)
zeichnen	to draw (1)
zeigen	to show (5)
die Zeit (-en)	time (11)
ich habe keine Zeit	I haven't got any time (11)
die Zeitschrift (-en)	magazine (4)
die Zeitung (-en)	newspaper (9)
die Zeremonie (-n)	ceremony (14)
zerschmettern	to smash (14)
zerschneiden	to cut up (14)
ich habe zerschnitten	I cut up (14)
ich ziehe mich an	I get dressed (6) ★
ich ziehe um	I'm moving house (9)

ziemlich	*fairly (4)* ★
der Zoo (-s)	*zoo (2)*
zu	*to, at (7)* ★
der Laden ist zu	*the shop is closed (9)*
zu Hause	*at home (8)* .
zu Hause anrufen	*to ring home (8)* ★
zu Tisch!	*to table!* ★
der Zucker	*sugar (8)* ★
zufrieden	*contented (13)*
der Zug (-̈e)	*train (6)* ★
zunächst	*first of all (9)*
zusammen	*together (5)* ★
zusammentun	*to put together (13)*
zwanzigster	*twentieth (7)* ★
zuviel	*too much (13)* ★
zu viel Schokolade	*too much chocolate (13)* ★
zweite	*second (6)* ★
der Zwilling (-e)	*twin (4)*
zwischen	*between (5)*